海外漢文古醫籍精選叢書・第三輯

2011—2020年國家古籍整理出版規劃項目
2018年度國家古籍整理出版專項經費資助項目
中國中醫科學院「十三五」第一批重點領域科研項目
——我國與「一帶一路」九國醫藥交流史研究（ZZ10-011-1）

蕭永芝◎主編

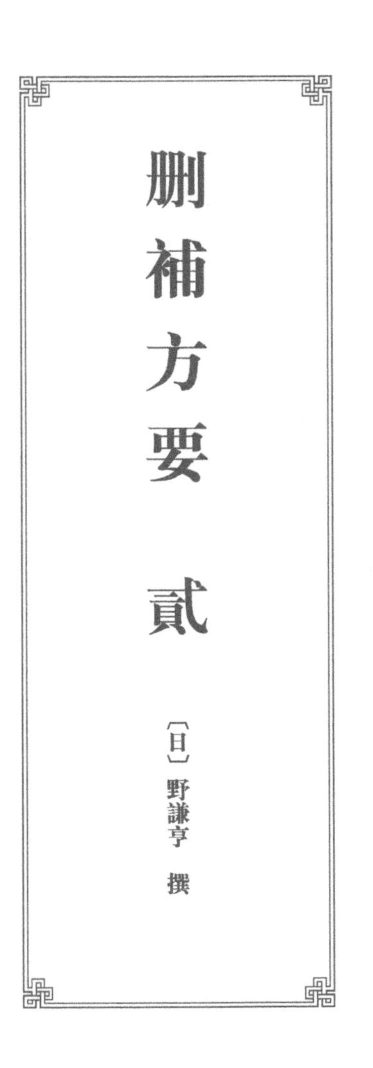

14

北京科学技术出版社

海外漢文古醫籍精選叢書・第三輯

删補方要 貳

〔日〕野謙亨 撰

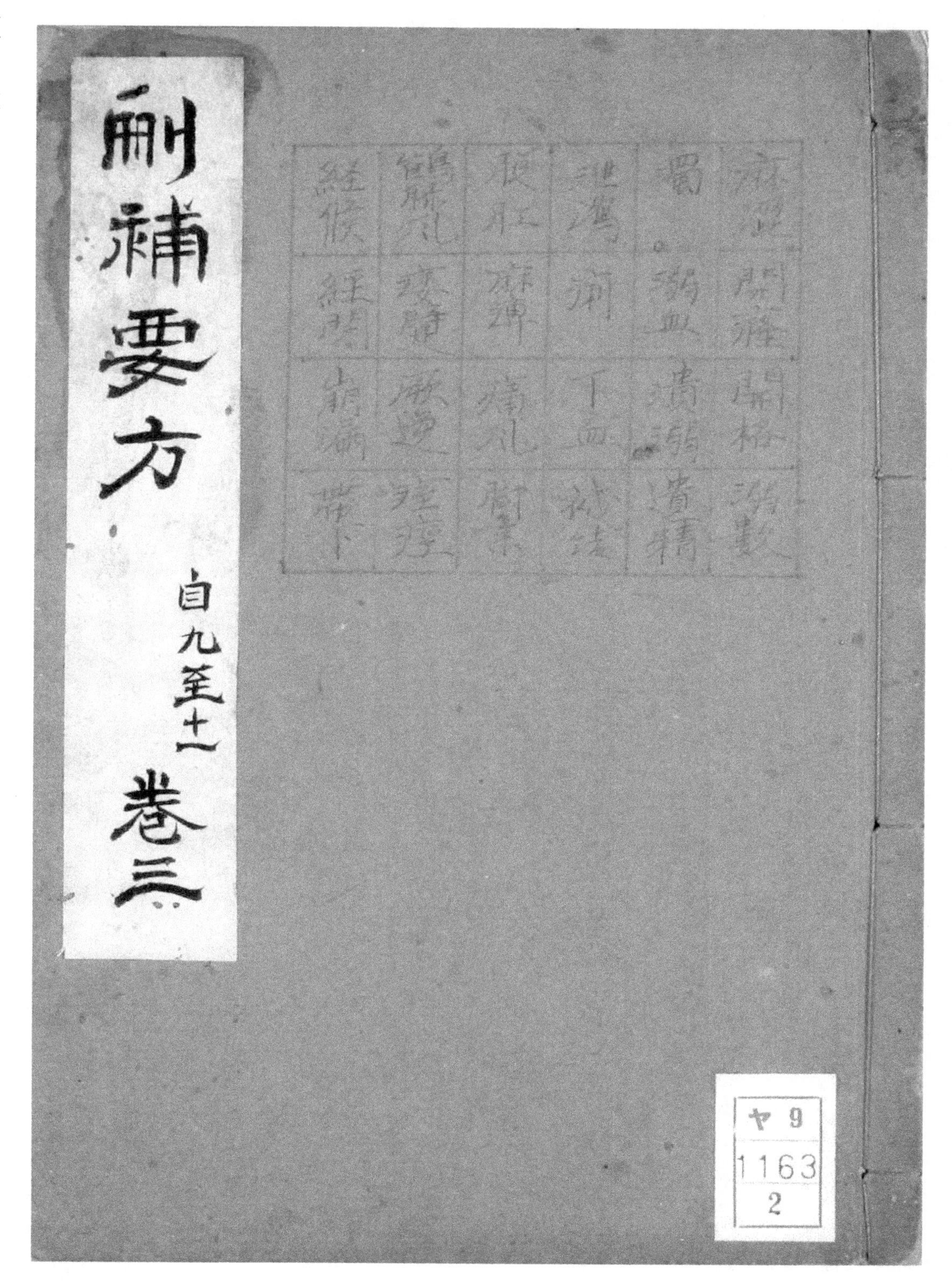

删補要方
自九至十一
卷三
ヤ9
1163
2

儒書品目

和漢名物[illegible]會 平住専庵著 全八[illegible]
七冊 天地之間ニアラユルヿ年暦[illegible]
一冊 源ヲミタキ時即時ニ見ヘ安ク名[illegible]國字ニノ其[illegible]等シキ書ナリ

徂徠先生國字牘 物茂卿述 全
學文ヲナスノ源ト成ルベキ文通往荅ヲ記ス

辨復古 養齋先生著 全
今世古学ノ古学ナラザル真偽ヲ弁明ス

南秋江鬼神論 全
鬼神有無ニツイテ疑ヲ生スルヲ以是ヲ弁ス

冷齋夜話 津逮秘書翻刻也 全
詩文經書禪学ホノ故事或ハ笑談奇事小説珍奇ノヿモヲ集ムル書ナリ

萬物故事要略 全八冊
世ニアラユルヿノ來歴ヲ記處ヲ糺メツゝノ疑シキヲ改メ要樞ヲ決断セシ書ナリ

初學指南抄 毛利貞齋著 全
讀法指南ヲ委ク載經文出所ヲ記都テ初学ノ為ニ成ヿヲ集ム早学文ノ昏[illegible]
○朱引指南 唐ノ歴代要覧見廿一史大略經昏詩文

春秋正月考 前後合冊
唐土往昔ハ今ノ十一月或ハ十二月ヲ以テ正月トシテ用ル所ト違フヿニ付諸書ニ此論説アレモ紛々タリ張呂寧諸書ヲ集メ是ヲ糺シテ定論ヲ成ス学者見スンバ不可有ノ書ナリ
居本經解ノ内翻刻[illegible]

學山錄 蘭林先生著 全六冊
天地事物言論行事藝文變異大辞稱謂字義ホ部ヲ分チ類ヲ集メ典故事実ヲ記ス此昏ヲ見ル時ハ數万巻ノ書ヲ見ル如ク博学ニ至ル書也

弁道漫錄 全
異端ヲ弁明シ儒門ノ正路ヲ開キ孔子真ヲ發明和漢ノ高論ナリ

卷之九　　謙亭編

淋證

熱淋主局方五淋石膏八正乃其涼

局方○五淋散　治腎氣不足膀胱有熱水道不利淋瀝不出臍腹急痛或熱淋便血

赤芍　山梔各二錢　茯苓六分　當歸

甘艸各五分

每二錢水一盞煎八分空心食前服○後五淋散加竹葉茵陳木通滑石去當歸

八正散　治心經蘊熱咽乾燥大渴目赤睛疼口舌生瘡咽喉腫痛及小便赤澁或癃閉不通

熱淋血淋

大黃　瞿麥　木通　硝石

萹豆　山梔　車前子　甘草

每二錢水一盞入燈心煎七分食後溫服

入門○加味石膏湯　治膀胱實熱脬轉不得小便苦煩滿難於俛仰

石膏八錢　山梔　人參　茯苓

知母各三錢　生地黃　竹葉各一兩

水煎服欲利加芒硝三錢

冷淋

冷寒二木通香主甚者投生附湯良

○二木散　治冷淋氣滯餘瀝澀痛身涼

木通　木香　當歸　芍藥

小便轉胞及淋疾　自死爪甲燒灰水服　附後方

青皮　茴香　檳榔　澤瀉
陳皮　甘艸各三分　肉桂少許

心法附○生附湯　治冷淋䅭中苦痛憎寒凜凜
附子　滑石各五分　木通　半夏
瞿麥各七分半
右薑三片燈心二十莖蜜半匙水煎服

氣淋

氣淋木香湯可擇

○木香湯　治冷氣凝滯小便淋澁身冷者
木香　木通　檳榔　茴香
赤芍　當歸　青皮　澤瀉
○石陳皮　甘艸各五分
薑三片入桂少許水煎服

血淋苦痛
乱髪焼存性二
錢入二麝香少許
米飲服 聖恵方

孫東宿治血淋之
方 杜丹皮 当
帰 生地 山梔子 芍
薬 牛膝 滑石 沢瀉
茯苓 木通

丹溪呉氏曰藥味辛香ノ者ハ輕[…]於陽ニ勝ツ故ニ能
理ム氣ヲ於陽ニ木香茴香橘皮木[…]是ニ也十ハ者ハ而
滑實ル者ハ陰ニ勝ツ故ニ能ク理ム氣ヲ於陰ニ[…]青皮檳榔當歸
赤芍是ニ也澤瀉之鹹能ク引[…]藥ヲ直ニ走ル膀胱ニ甘
艸之甘能ク調ヘ諸藥ヲ以テ和ス六[…]
府膀氣不レハ滯則淋瀝愈ユ矣

入門○益元散加木香檳榔茴香　治氣淋澁滯癃瀝
不盡

血淋

下焦血淋小薊湯

濟生○小薊湯　治下焦熱結血淋

生地黄　小薊根　木通　滑石

山梔　蒲黄　淡竹葉　歸尾

藕節　甘艸稍

水煎服

丹溪呉氏曰下焦之病責於濕熱法曰病在下者引而竭之故用生地梔子凉而導之以

玉機立功散
治下焦濕熱小便
黃赤淋閉疼痛
或有血出
瞿麥穗一兩 甘草炙
山梔子炒去皮 甘草 右末
每服五錢入葱白燈
心姜煎食前服
治石淋痛淚
髮髪燒存性每
服一錢井水服之
右肘後方

石淋

瀉其熱、用滑石通艸竹葉淡而滲之、以蠲其淫、用小薊藕節蒲黃消而逐之、以去其瘀血、當歸養血於陰、甘艸調氣於陽、古人治下焦瘀熱之病、必用滲藥開其溺竅者、圜師之訣之義也

○琥珀散　河間先生方　治五淋

滑石二錢　木通　當歸　木香
鬱金　萹竹葉　琥珀各一錢
水煎服

豊溪吳氏曰、氣淋血淋膏淋砂淋、此方皆主之、滑可以去著、故用滑石琥珀、通可以去滯、故用木通萹蓄、用當歸者、取其活血、用木香鬱金者、取其利氣也

石者石淋疼難耐、萆薢分清膏淋嘗

韋散　治小便不利莖中作痛　河間先生方

石韋二兩　瞿麥一兩　滑石五兩　車前子三兩

冬葵 二兩

水煎服

菫溪吳氏曰砂淋痛盛者此方主之砂淋此以火灼膀胱濁陰凝結乃煮海爲鹽之象也通可以去滯故用石韋蘧麥滑可以去著故用車前冬葵滑石雖然治此證者必使斷鹽方能取効斷鹽有二妙一則淡能滲利二則無鹹不作石也

膏淋方考 ○萆薢分清飲 膏濁頻數漩白如油光彩不定者此方主之○膀胱者水瀆之區也胃中溼熱乘之則小便渾濁譬之溼土之令行而山澤昏瞑也陶隱居曰燥可以去溼故萆薢菖蒲烏藥益智皆燥物也可以平溼土之敦阜溼土既治則天清地明萬類皆潔矣而況于膀胱乎

醫林 ○海金沙散 治膏淋

参苓琥珀湯
治莖中痛或相引臍下脖気不足小便淋瀝常有余瀝不尽者
玄胡 川楝 甘草 蒲 各二方 茯苓 琥珀 長流水煎

海金沙　滑石各一兩　甘草半二錢

勞淋清心蓮子飲丹溪太補檗皮方

勞淋方考

清心蓮子飲　勞淋者主之○勞者動也動而生陽故令內熱內熱移于膀胱故令淋閉是方也石蓮肉瀉火於心麥門冬清熱於肺黃芩瀉火於肝地骨皮退熱於腎參芪甘草瀉火於脾皆所以療五藏之勞熱也惟車前子之滑乃以治淋去著云爾

○太補丸丹溪先生方　淋症遇房勞即發者主之

黃檗

一味炒褐色爲丸○房勞虛其腎水則火獨治故灼而爲淋黃檗苦而潤苦能瀉火潤能補水

渴　渴而不利投清肺飲子

不渴　不渴東垣滋腎丸當詳論見癃門

上燥　上燥黃芩清肺劑

摘要○黃芩清肺飲　肺脾燥而不能化生者主之

黃芩一錢　山梔子二錢

不利加鹽豉二十粒

中燥　土燥水濁四君加碏石麥冬澤瀉竹葉望

下燥　下焦血因火燥氣不得降而滲泄之令不行者四物湯加知蘗牛膝甘艸稍

上盛　蓮子下虛上盛強

下虛　局方○清心蓮子飲　治因思慮勞力憂愁抑鬱致小

便白濁或有泌漠夜夢走泄遺瀝澁痛便赤如

血或因酒色過度上盛下虛心火炎上肺金受

甚口舌乾燥漸成消渇及男子五淋婦人帶下赤白及病後氣不收斂陽浮於外五心煩熱

蓮子　茯苓　黄芪　人參各七錢半

麥門冬　地骨皮　黄芩　甘艸

車前子各五錢

每三錢麥冬十粒水一盞半煎八分水中沉冷空心服

腎傷

酒色腎傷中有熱必効散内主歸黄

回春○必効散　治淋症因酒色勞力傷腎虛中有熱

當歸　生地黄　赤芍藥　滑石

牛膝　山梔　麥門冬　枳殻

知母　黄蘗　萹竹　木通各等分

甘艸減半　燈心一圍

血淋加蒲黃茅根○膏淋加萆薢○氣淋加青
皮○勞淋加人參○熱淋加黃連○石淋加石
韋○死血淋加桃仁牡丹玄胡琥珀去知檗

腎虛　腎虛八味宜加減六味地黃有熱詳

入門○加減八味丸　治腎水枯涸虛火上炎口乾作
渴或舌黃裂或小便頻數或口舌生瘡或兩足
發熱或痰氣上湧而後患疽宜預服之（方見消渴）○
薛氏曰老人陰已痿而思色以降其精則精不
出而內敗莖中痛澁爲淋者八味丸料加車前
子牛膝煎服○若精已竭而復耗之則大小便
中牽疼愈疼則愈欲大小便愈便則愈疼倍附

予救之

壽世○六味地黃丸　治小便淋瀝不通又治老人虛寒者患欬血作淋痛不可忍者爲依本方倍澤瀉茯苓○又治小便頻數不禁去澤瀉用益智

中虛　中氣弱虛損益氣

丹溪先生曰治氣虛而淋者八物湯加黃芪虎杖根甘艸煎湯服

積痰在上二陳湯吐揚

治小便血淋　烏賊骨末一錢生地黃汁調服又方烏賊骨

附莖痛生地黃赤茯苓各六分爲末每服一錢柏葉車

莖痛肝經蒙溼熱茯苓琥珀乃堪煎實人龍膽瀉

肝主虛者六君蘗琥連前湯下　經驗方

薛氏○龍胆瀉肝湯　治肝經濕熱小便澁滯莖中作痛

寶鑒○茯苓琥珀湯　治淋澁莖中痛相引脇下不可忍

金鈴子　甘艸稍各一錢　人參五分
玄胡索七分　茯苓四分　琥珀　澤瀉
當歸　柴胡各三分

濟世○六君子湯加知檗石韋琥珀　治病淋莖中痛不可忍者

萓溪吳氏曰肝氣不足小便淋瀝常有餘瀝不盡者此方主之補可以去弱故用參苓滑可以去著故用琥珀歸稍瀉可以去閉故用澤瀉生甘艸用柴胡者使之升其陷下之清陽用玄胡川楝者使之平其敦阜之濁氣煎以長流水者取其就下之意也

小便不通 烏臼根皮煎湯飲之肘後方

癃閉

實熱 溺癃不通因實熱猪苓八正木香般

回春 ○猪苓湯　治熱結小便不通

木通　猪苓　澤瀉　滑石

枳殼　黄蘗　牛膝　山梔

車前　瞿麥各等分　甘草稍減半

扁竹十片燈心一團水煎服

心法附 ○八正散加木香湯　治膀胱不利爲癃癃者小便閉而不通○薑溪吳氏曰溼熱下注令人少腹急小便不通者此方主之溼熱下注少腹急則小便有可行之勢矣而卒不通者熱秘之

也陶隱君曰通可以去滯瀉可以去祕滑可以去著故用木通蘧麥扁蓄通其滯用大黄山梔瀉其祕用車前滑石滑其著用甘艸稍者取其堅實能瀉熱於下加木香者取其辛香能化氣於下

渴而不利宜清肺不渴通關水作丸

祕藏○清肺飲子　治渴而小便澁不利邪熱在上焦氣分

燈心一分　木通七分　澤瀉　瞿麥

琥珀各五分　萹蓄七分　車前子一錢

茯苓二錢　猪苓三錢

水煎服或八正散五苓散亦宜

論曰凡小便不通而口渴者邪熱在氣分伏熱不能生水是絶小便之源也法當用氣味俱薄淡滲之藥猪苓澤瀉之類瀉肺火而清肺金滋水之化源

脾胃

○五苓散　治煩渴飲水過多或水入即吐心中淡淡停溼在內小便不利

○通關丸　一名滋腎丸　治不渴而小便閉熱在下焦血分也

黃蘗 酒焙　知母 酒焙 各一兩　肉桂 五分

爲末熟水丸梧子大每百丸空心白湯下頓兩足令藥易下行故也如小便利前陰中如刀刺痛當有惡物下爲驗

論曰若邪熱在下焦血分不渴而小便不通者乃素問所謂無陰則陽無以生無陽則陰無以化膀胱者州都之官津液藏焉氣化則能出矣法當用氣味俱厚陰中之陰藥治之

虛寒

溫腎湯 治尺脉虛濡足脛逆冷小便黃赤 附子 熟地二錢 肉圭一錢 茯苓一錢半 牛膝一錢二分 煨姜六片

加味五苓單二朮理中附子煖虛寒

黃檗知母是矣又曰內經云熱者寒之腎惡燥急食辛以潤之以黃檗之苦寒瀉熱補水潤燥爲君知母之苦寒瀉腎火爲佐肉桂辛熱爲使寒因熱用也

回春○加味五苓散 治虛寒小便不通者是寒結也

猪苓　澤瀉　白朮　赤茯苓

肉桂　當歸　枳殼　牛膝

木通各等分　甘艸稍減半

燈心一團水煎空心服

埜氏○二朮散　方論見淋門

壽世○附子理中湯　調琥珀末治小便不通服涼藥過多脹幾欲死立通

參歸升麻治虛熱

虛熱

回春○參歸升麻湯　治虛熱小便不通者是虛結也

人參　當歸　生地黃　白茯苓

猪苓　澤瀉　知母　枳殼

牛膝　黃蘗　山梔各等分　升麻少許

甘艸減半

燈心一團水煎服

陰虛　陰弱滋陰降火湯加猪苓澤瀉木通牛膝完

血虛　氣弱投補中益氣湯

氣虛　血虛四物加黃芪煎湯送下通關丸

痰氣　二陳痰氣宜加味枳實黃蘗山梔木通牛膝車前子猪苓

燈心簝

附轉脬

入門○脬系轉戾臍下併急而痛小便不通名曰轉脬有因熱逼或强忍小便氣逆脬轉者

硝石　寒水石　冬葵子　車前子

等分水煎服外用炒鹽熨臍冷即更之

○因氣者先用凉蔓葱白紫蘇煎湯薫洗小腹外腎肛門拭乾伸脚仰臥後用冬葵茯苓赤芍白芍等分入鹽一字煎調蘇合香丸服之

○忍尿疾走及忍尿飽食者二陳湯探吐

○忍尿入房者補中益氣湯提之

濟世○陰陽關格前後不通尋常通利太府小水自行中有轉脬一症諸藥不效失救則悶亂而死予嘗用甘遂末水調敷臍下内以甘草節煎湯飲

乏及藥汁至臍二藥相反胞自轉矣小便來如
涌泉此救急之良訣也　出聖惠方
○八味丸　治小腹急痛不得小便不問男女孕
婦轉胞小便不利命在反掌此藥一服小便如
湧而安　出金匱要畧

琥珀散　治老人虚人心気閉塞小便不通　用琥珀為末每服一
戔人参湯下極効　利気散　治老人気虚小便不通　黄芪
陳皮　甘草各戔　水煎　参芪湯　治心虚客熱小便澁数
赤茯苓戔半　生地黄　黄芪　桑螵蛸　地骨皮各戔　人参　五味子　兎絲
子　甘草各五分　入灯心二十二茎　木通湯　治小便不通小腹痛
甚　木通　滑石各五分　牽牛取頭末三戔半　右灯心十茎葱白一茎
牛膝湯　治血結小便閉茎中痛　牛膝五戔　当帰三戔　黄芩戔二
通心飲　治心經有熱唇焦面赤小便不通　木通　連翹各三戔
灯心草　火府丹　治心經有熱小便黄赤　黄芩戔　生地三戔
木通四戔　涼胃湯　治胃有熱消渇善飢溺色黄赤　黄
連戔　甘草四分　陳皮三戔　茯苓戔　水煎

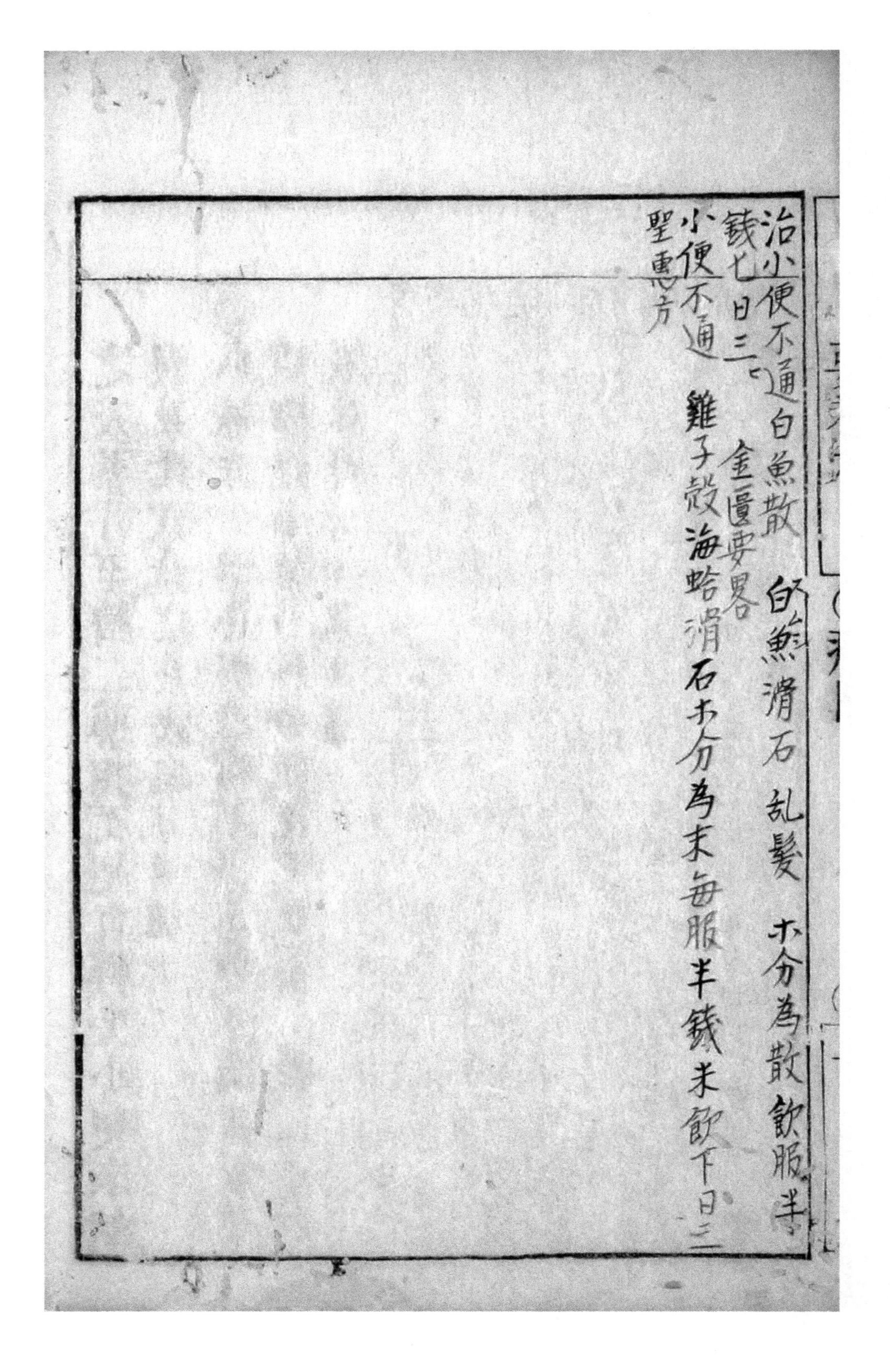

治小便不通白魚散　白魚　滑石　乱髮　等分為散飲服半
錢匕日三　金匱要畧
小便不通　雞子殼　海蛤　滑石　等分為末每服半錢米飲下日三
聖惠方

痰

關格

關格藿平合五苓有痰枳縮二陳寧

正傳○藿香平胃散合五苓散薑棗煎服　治關格吐逆小便不通立效

回春○枳縮二陳湯　治關格上下不通

枳實一錢　茯苓　貝母　陳皮

紫蘇子　瓜蔞仁　厚朴　香附

砂仁各七分　川芎八分　木香　沉香各五分

甘草三分

生薑水煎入竹瀝磨木沉服探吐之

二便俱閉投承氣積熱膏粱滋腎訶

便閉入門

○大承氣湯　吐而二便俱閉者此方下之愈

膏粱

○滋腎丸　膏粱積熱損傷北方真水者只治下焦而愈此方主之

中氣虛而關格到補中益氣入檳靈中虛痰盛成關格去朮六君柏子零

○補中益氣湯　治中虛而成關格者加檳榔升降之

○六君子湯　中虛而痰盛者去朮加柏子仁麝香少許主之

上虛補肺

遺溺

遺溺上虛宜補肺參歸湯內桂陳皇

回春○參芪湯　治氣虛遺尿失禁

人參　黃耆　茯苓　當歸

熟地黃　白朮　陳皮各一錢　升麻

肉桂各五分　甘草三分

薑棗水煎服○老人遺尿多是虛寒也加附子名參附湯

壽世○補中益氣湯　治遺尿失禁身體虛瘦依本方加山藥益智山茱萸芍藥酸棗去柴胡

下虛收澁須補腎爲用螵蛸散有桑

下虛遺脫

衍義○桑螵蛸散　治腎衰陰痿夢中遺精失尿白濁疝瘕心神恍惚食減止小便數安神魂定心志治健忘補心氣

桑螵蛸　遠志　龍骨　石菖

人參　茯神　當歸　鱉甲

各一兩爲末臨臥人參湯調下二錢○埜氏曰內虛裡寒加附子益智

朱氏縮泉脬不足地黃丸補腎膀胱虛

本草○縮泉丸　朱氏集驗方　治脬氣不足小便頻數

烏藥　益智

等分爲末山藥糊丸梧子大每七十丸空心鹽湯下○曹溪吳氏曰脬氣虛寒遺尿不止者主

之腑氣者太陽膀胱之氣也烏藥辛溫而質重

重者墜下故能療腎間之冷氣益智仁辛熱而

色白白者入氣故能壯下焦之腑氣腑氣復天

則禁固復其常矣

壽世○加減地黄圓　治腎與膀胱俱虛冷氣乘之不

能約制故遺尿不禁或睡中自出

生地黄 酒蒸四兩　山藥 二兩　牡丹皮 一兩半

山茱萸　破故紙 各二兩　茯苓

益智子　人參 各一兩　肉桂 五錢

腎間水火俱虛者八味圓方最可當

實熱

求四苓三黄實熱四苓四物虛熱涼

入門○四苓散　合三黄湯加五味子山茱萸少許合

虛熱　膀胱火動遺尿

○四苓散合四物湯加山梔升麻　治虛熱遺尿

者

伏暑　滋陰降火湯　陰虛熱伏暑熱人參白虎湯

國春○滋陰降火湯加炒梔去五味子　治虛熱尿多

○人參白虎湯　治夏月因伏暑熱遺尿者加知

母黃蘗去香薷方見暑門

溼熱　溼熱內虛丸六味膀胱鬱結用婁方

薛巳○六味丸　主內虛溼熱者或加五味杜仲故紙

鬱結　醫目○治遺尿不覺脉洪大盛此開鬱結之意也

黃蘗　知母　牛膝君　青皮

甘艸臣　木香佐　肉桂使

數而火爲實熱

數而多爲虛熱

溺數

溺數而些爲實熱茯苓琥珀寶鑑儲

羅謙○茯苓琥珀湯治小便數而短臍腸填滿不得安臥脉沉緩時帶數

茯苓　白朮　琥珀各半兩　甘艸

桂枝各三錢　滑石七錢　猪苓半兩

爲末每五錢煎長流甘爛水一盞空心服

數而多者爲虛症黃蘗參甘益智舒

回春○治小水頻數此症皆下元氣所致

酒蘗　人參各五錢　益智六錢　甘艸一錢

爲末蜜丸梧子大每五十丸滚水下酒亦可

益氣湯方脾弱主之　縮泉丸劑補脾虛
陰虛六味丸宜用　陽弱下冷八味除

薛己○補中益氣湯　若小便頻數或勞而益甚屬脾氣虛弱加山藥五味子

入門○縮泉丸　治脬氣不足小便頻數

薛己○六味丸　若小便無度或淋瀝不禁乃陰挺痿痺也主之

局方○八味丸　治腎氣虛乏下元冷憊夜多漩溺

頻數而黃滋肺腎　栞冬四物有稱譽

入門○四物湯加五味子麥門冬山藥　治小便頻而黃者以滋肺腎

濁證

溼熱小便多赤濁爲投導赤散爲經

入門○導赤散　赤濁者血分溼熱甚心與小腸主之

胃中溼熱宜治濁

方考○治濁固本丸　胃中溼熱滲入膀胱濁下不禁者此方主之

蓮花鬚　黃連各二錢　豬苓二錢半　茯苓

砂仁　益智　半夏　黃蘗各一錢

甘艸三錢

半夏燥胃溼茯豬滲胃溼甘砂益智之香甘益脾而制溼蓮蘗之苦治溼熱蓮花鬚之澁止其

滑泄トハ名ケテ之ヲ曰フ固本者ハ胃氣ヲ爲ス本ト之謂也

伏暑

伏暑煎　加味四苓

蟜世○加味四苓散　治ス心經伏暑赤濁而有ル熱

依テ本方ニ加フ人參香薷黃連麥冬ヲ

楊氏丹溪心法ニ有リ蓮肉而無シ黃連

虛熱

虛熱小便多ク白濁　清心蓮子最能ク寧ス

入門○清心蓮子飲　白濁者氣分ノ溼熱微ク肺ト與大腸主ル之ヲ○龔氏回春曰主ル心虛有テ熱而赤濁スル

醫鑑○滋腎飲　治ス白濁初テ起テ半月ナル者ニ極テ效アリ

萆薢　麥冬　遠志　酒蘗

兎絲子　五味子各等分

竹葉三箇燈心七根大黃少許水煎シ空心ニ服ス

虛寒

虛寒萆薢分清飲四逆湯中附子停

正傳○萆薢分清飲 楊氏家藏方 治眞元不足下焦虛寒小便白濁頻數無度漩面如油光彩不定

石菖　烏藥　益智　萆薢

茯苓各一錢　甘艸半錢

水一盞半入鹽一錢煎至一盞空心服○本艸綱目載此方無茯苓甘艸

蓬溪李氏曰漩多白濁皆是溼氣下流萆薢能除陽明之溼而固下焦故能去濁分淸

○附子四逆湯　脉尺濇足脛逆冷小便赤宜補之主之

勞心

思慮勞心心弱者妙香散劑最宜訂方論見驚悸門

傷腎

房勞傷腎成虛弱六味地黃丸或八味丸銘

心腎俱虛無火者，爲投還少丹，乃可嚀。

虛火

滋陰降火湯，涼虛火。上芎加萆薢、朮、梔子、萹蓄、靈。

溼痰

溼痰二陳加朮萆薢，七情四七湯，療痰渟。

回春○二陳湯加白朮萆薢　治肥人赤白濁者，是溼痰也。○南豐李氏曰：赤濁加芍藥，氣虛加參芪，傷暑加澤瀉、麥冬、人參，傷風加防風，挾寒加乾薑、肉桂，甚加附子，有熱加知蘗、山梔。○因七情生痰者，四七湯。

脾溼寒

脾寒溼者，難名主之。

入門○蒼朮難名丹　治元陽氣衰，脾精不禁，漏濁淋瀝，腰痛力疲。

蒼朮八錢　茴香　金鈴子各一錢半

川烏　故紙　茯苓　龍骨各一錢

爲末酒麴糊丸梧子大硃砂爲衣每五十丸砂仁湯或糯米湯下

脾弱可升益氣湯形胸滿者加枳殼香附

補遺方

入門龍蠣丸　治小便白濁更加入遠志茯苓丸妙

龍骨　牡蠣

等分爲末入鯽魚腹内用紙裹入灰火内煨熟取出去紙擣丸梧子大每三十丸米飲下

遠志丸　治赤濁因勞心者神效

遠志八兩　茯神　益智各二兩

爲末酒麪糊作丸梧子大每五十丸臨臥棗湯

下

頻數而黃滋肺腎藥冬四物湯加山藥最良方

短而黃者補脾肺藥麥冬加入補中益氣湯

醫林桑螵蛸散　治男子小便數而如米泔羸瘦恍惚及遺尿

五倍湯　治尿血不止　五倍子煎湯露一宿次朝取上面清者溫服

溺血

小腸熱溺血清腸湯清滲熱小薊飲子出東垣

回春○清腸湯　治心移熱於小腸小便出血

當歸　生地黃　山梔　王連

芍藥　黃蘗　瞿麥　茯苓

木通　萹蓄　知母　麥門冬

甘艸

燈心烏梅水煎服○溺血莖中痛加滑石枳殼

去芍苓

醫鑑○小薊飲子　胞移熱於膀胱則癃溺血主之○

龔氏壽世加茯苓車前

暑熱　若因暑熱心經熱升麻煎汁送下益元散

血虛　久者血虛投四物加山梔牛膝艾膠四物湯療房勞繁

傷邪　而傷精火動溺血者陽邪陷下焦看血爲製玄胡索散吞

方考○玄胡索散　治陽邪陷入下焦令人溺血者

玄胡索一兩　朴硝三分

止剤　瑞竹○蒲黃散

故紙炒　蒲黃炒　千年石灰炒

等分爲末每三錢空心熱酒調下

氣虛　三因○玉屑膏　治尿血并五淋砂石疼痛不可忍

黃耆　人參各等分

右爲末用蘿蔔大者切一指厚三指大四五片

蜜淹炙時蘸蜜炙乾復蘸盡蜜二兩爲度勿

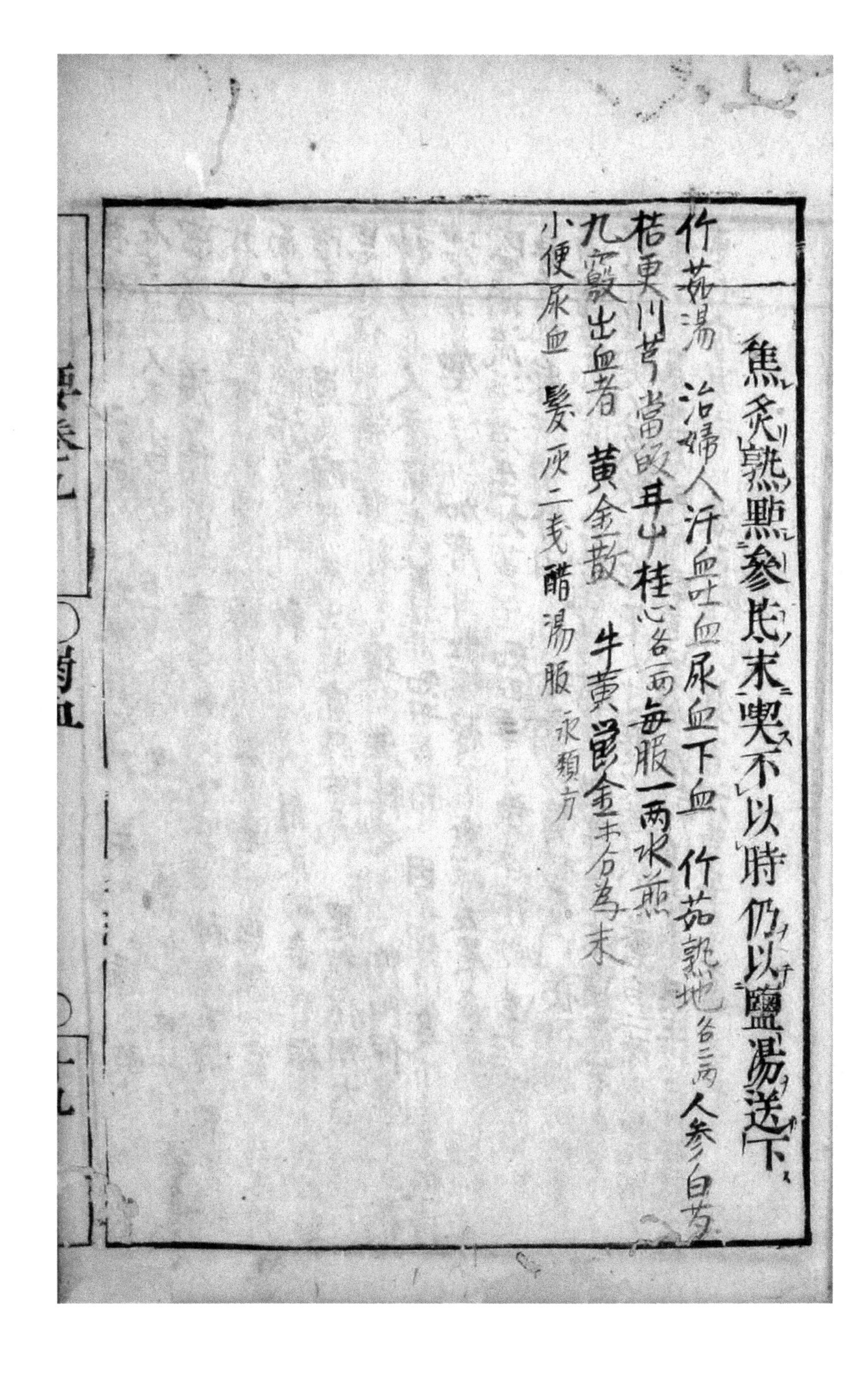

焦炙熟點參芪末喫不以時仍以鹽湯送下

竹茹湯　治婦人汗血吐血尿血下血　竹茹熟地各三両　人參白芍桔梗川芎當歸甘草桂心各一両　每服一兩水煎

九竅出血者　黃金散　牛黃鬱金末各為末

小便尿血　髮灰二錢醋湯服　永類方

茯神湯　治慾心甚熾夢遺心悸　茯神一錢　遠志　酸棗仁二分
石菖蒲　人參　白茯苓各一錢　黃連　生地八分　當歸一錢　甘草四分　蓮子七
四七湯　治七情鬱結痰氣妨悶嘔吐惡心神精不快　半夏一錢
茯苓二錢　紫蘇葉六分　厚朴九分　右姜棗七　思想無窮所欲不得
而白淫者　治方右五　神氣浮遊　用辰砂　竜骨　磁石之類以鎮
墜之　思久成痰迷心竅　宜豬苓丸　思想傷陰大鳳髓丹
思想傷陽　宜鹿茸　蓯蓉　瑣陽　兎絲之類　陰陽俱虛者宜茯
神　遠志　人參　竜齒　菖蒲　知母　黃柏　因色慾過度下元虛憊滑
泄不禁　宜八味丸加鹿茸　牡蠣　蓯蓉　兎絲　五味　竜骨　因壯年
盛滿流溢者　生地　黃柏　知母　蓮子　黃連　茯神　遠志　菖蒲
身有熱脉洪滑皆因于熱　珍珠粉　黃柏　麥門　茯神　蓮肉　竹葉　木
通　豬苓　地黃　凡屬積滯鬱熱等症　木通　豬苓　丈麥
脾胃濕熱人及飲酒厚味太过痰火為殃　蒼白二陳湯加知柏
柴　真査鬼魅相感者以人參　茯神　遠志養真正以生地　當歸　酸
棗仁安真神以朱砂　雄黃　麝香　沉香　安息香安其真邪

夢遺精滑

心火　夢遺精滑看心火為用清心飲劑煎

入門○黃連清心飲　治心有所慕而遺者

黃連　生地黃　當歸　甘艸

茯神　酸棗　遠志　人參

蓮肉

水煎服○丹溪先生曰思想成病其病在心安神丸帶補藥

相火　相火翕然扇腎水坎離丸劑蘗知先

入門○先坎離丸　治陰火遺精盜汗潮熱咳嗽

黃蘗　知母

等分用童便丸蒸九曬九露爲末地黃煎膏爲丸服弱者山藥糊丸服○丹溪先生曰熱則流通知蘗蛤粉青黛爲丸

腎虛遺精白濁 萆薢分清飲八物湯腎氣能堅

水虧火爍 水虧火爍水虧投滋陰降火湯

溼熱 樗蘗丸溼熱能斷

溼熱入門○樗蘗丸 治君火失權而相火乘脾溼與熱合

樗白皮一兩 黃蘗三兩 青黛 牡蠣各二兩 知母 蛤粉 神麴各五錢

爲末麪糊丸梧子大每七十丸空心白湯下虛勞四物湯下痰甚加南星半夏○丹溪先生曰精滑專主溼熱知蘗降火蠣蛤燥溼

虛脫

中年四十以後氣血成虛脫可用人參養榮焉

陽脫究源心腎丸桑螵蛸散最能痊

入門○究源心腎丸 治早年慾過陽脫者

牛膝 熟地黃 肉蓯蓉 鹿茸

附子 人參 遠志 茯神

黃耆 山藥 當歸 龍骨

五味子各一兩 兔絲子三兩

浸藥酒煮糊丸梧子大每五十丸空心棗湯下

腎氣下陷

腎氣下陷神芎提

入門○神芎湯 治遺精經久腎氣下陷玉門不閉不時漏精宜此升提腎水歸元

升麻 神芎 人參 枸杞子

甘艸　遠志　黃芪　當歸

地骨皮　破故紙　杜仲　白术

生薑蓮肉水煎溫服

肝腎虛熱	肝腎虛熱四物湯加柴胡山梔山茱萸山藥全
氣虛	益氣湯加山藥山茱萸主脾胃虛寒者歸脾湯加山藥山茱萸主思慮傷脾者殺氣弱
心虛	清心蓮子飲補心虛熱專
氣血虛	十全大補加麥門冬五味子氣血虛傷最可傳
痰氣	痰溼下焦成滲下醫鑑加味二陳仙

醫鑑加味二陳湯　治遺精

陳皮　白朮　桔梗　升麻酒炒

柴胡酒炒　甘艸各一錢　半夏一錢半　茯苓一錢半鹽水炒

石菖蒲七分　黃蘗二分　知母三分

山梔 炒黑一錢半

薑煎服

收劑

河間○秘眞丸　治白淫小便不止精氣不固及有餘瀝或夢寐陰人通泄

龍骨 一兩另研　訶子皮 五箇　硃砂 一兩研細一分爲衣

縮砂 半兩

右爲末麪糊丸菉豆大每一十丸空心温酒下熟水亦得不可多服太秘

張仲景治手足煩熱咽乾口渇或爲悸衂此以火上升而不降陰独居内而爲夢失用小建中和之

卷之九

白朮散 治脾胃虛寒泄瀉嘔吐食少留滿 白朮土炒 人參屮
果 厚朴酒炒 肉菓 陳皮 木香 白麥芽各一錢 甘屮五分 姜棗
調中湯 治產後腸胃虛怯冷氣乘之腹脘痛洞泄 蒼朮 桂 芍 菖 黑
各兩 銜耳 白芍良姜湯 治吐瀉轉筋腹痛脉沉細 四君加芍藥
補脾湯 治脾胃虛寒泄瀉腹滿嘔逆食不消 即異功散加乾烈芽
菓 祕藏黃芪補胃湯 治大便一日三四次時泄腹中鳴 飯黃芪柴益
各三錢 耳二錢 周二分 藍少 水煎 良方九室飲 調理脾胃止泄瀉 參伽炮訶
腴蜜 婆耳 肉蔻各錢 姜棗 猪水散 治慕瀉如水一身尽冷汗出脈弱
氣少不已言甚者嘔吐此為急病 羊莫三兩 良姜三錢 半 乾姜炮 肉圭
耳屮 附子炮各五錢 右為細末 溫脾飲 治下元虛冷滑脫久瀉水売
入口即出直下 人參 黃芪 白朮 茯苓 山藥 乾姜 訶子 肉菓 屮果 丁
香 桂肉 附子 黃連 砂仁 陳皮 厚朴 耳屮各等分 入姜棗
汝篆要合曰 瀉痢久不止或慕下者皆大陰受病不可離白朮耳屮芍
菜是以聖人之泄若四肢下利者春防風夏黃芩秋厚朴冬桂附加
本方夏間淫雨陰寒之時行瀉痢体重肢疼小便閉塞得泄滲之劑足
降而又降也復益其陰而重竭其陽必用少陽氣乘菜 柤活 升麻 柴胡 防
風 升陽除濕防風湯 泄瀉頭痛者主之 赤四錢 銅三錢 伽 腴
芎各錢

卷之十　　謙亭編

泄瀉

溼多成瀉胃苓湯隨證減加作主方

醫鑑○胃苓湯　治中暑傷溼停飲夾食脾胃不和腹痛洩瀉作渴小便不利水穀不化陰陽不分

蒼朮　厚朴　陳皮　猪苓

澤瀉　白朮　茯苓各一錢　肉桂三分

炒芍一錢　甘艸三分

薑棗水煎溫服○一方加防風升麻以勝溼○食積加神麯麥芽山樝○水瀉加滑石○有痰加半夏烏楳○氣虛加蔘朮○惱怒加木香○

有熱加黄連○久瀉加肉豆蔻○暴痢赤白相雜腹痛裡急後重去桂加木香黄連檳榔○回春曰久瀉加升麻○壽世曰有寒加乾薑

豐溪吳氏曰平胃散燥濕五苓散利濕

風泄桂枝神朮散二香正氣胃風諸

要略○桂枝湯　下痢腹脹滿身體疼痛者先溫其裡乃攻其表溫裡宜四逆湯攻表宜桂枝湯

正傳○局方神朮散　治春傷於風夏必飧泄之症

入門○二香散　治夏月風瀉

○正氣散　治冬月風瀉微汗之

局方○胃風湯　治風冷乘虛客於腸胃水穀不化泄瀉注下腹脇虛滿腸鳴㽲痛及腸胃溼毒下如

豆汁或下瘀血日夜無度

當歸　芍藥　川芎　人參

白朮　茯苓　肉桂各等分

每二錢水一盞粟米百餘粒同煎七分稍熱服

豊溪吳氏曰風陽邪也血得之則善行故下鮮血濕陰邪也血得之則敗壞故如豆汁氣血虛而後邪湊之故用參朮茯苓以補氣用芎歸芍藥以養血肉桂之辛可以散風邪肉桂之熱可以燥溼毒血藥得之可以調營氣藥得之可以益衛又曰白朮茯苓能壯脾而療溼川芎肉桂能入血而驅風

寒

理中四逆因寒泄

要畧○通脉四逆湯　下利清谷裏寒外熱汗出而厥者主之

○白通湯　少陰病下利者主之

葱白四莖　乾薑一兩　附子一枚生

水三升煮取一升去滓溫服○少陰病下利脉微者與白通湯利不止厥逆無脉乾嘔煩者白通加猪胆汁湯主之

成氏曰少陰主水少陰客寒不能制水故自利也內經云腎苦燥急食辛以潤之葱白之辛以通陽氣乾薑附子之辛以散陰寒

局方○附子理中丸　治脾胃冷弱心腹絞痛嘔吐泄利霍亂轉筋手足厥寒腸鳴腹滿一切沉寒痼冷並皆治之

人參　附子　乾薑　甘艸

白朮各三兩

爲末煉蜜丸每一兩分作十丸每服一丸水煎

暑

空心熱服

回春○理中湯　治寒泄腹痛色青脉沉遲

人參　白朮　乾薑各一錢　肉桂

甘艸各五分　陳皮　藿香　茯苓

良薑各七分　烏梅一箇

薑棗水煎服○寒極手足冷加附子去良薑肉桂○腹痛加砂仁木香○嘔噦惡心加丁香半夏去良薑肉桂○虛汗加黃芪去藿桂○飽悶加厚朴砂仁去參良

暑瀉茹苓乃可嘗

入門○茹苓湯加黃連車前即香茹散合五苓散　治暑瀉如水煩渴溺赤○或用桂苓甘露飲○虛者六和湯

治食積浮
不換金正氣散
加曲芽查

食　痰　七情　火

清暑益氣湯○有潮熱者柴苓湯

因食積香砂平胃散去枳加朮苓主之傷酒可與解酲湯

餳麪傷養胃加萊菔水飲五苓散可利康

痰泄二陳加味劑

藿香正氣散七情傷

壽世○加味二陳湯　治痰瀉或多或少或瀉或不瀉者

陳皮　半夏　茯苓　甘草

白朮　蒼朮　厚朴　砂仁

山藥　車前子　木通　烏梅

生薑水煎服

四苓加味治因火火瀉氣虛衛生良

○加味四苓散　主火瀉腹痛痛一陣瀉一陣

猪苓　茯苓　白朮　澤瀉

木通　山梔　黄芩　芍藥

甘艸

燈心水煎服○回春曰飽悶加厚朴砂仁○腹痛加木香茴香去朮○嘔噦惡心加藿香烏梅○渇加麥冬葛根去澤瀉蒼朮○瀉多元氣虚脫加人參黄耆

○衛生湯（入門）　治虚火氣虚不能泌別水穀者

人參　白朮　茯苓　陳皮

甘艸　山藥　薏以　澤瀉

黄連

各等分水煎服

胃熱　胃熱涼之投白虎湯　胃實承氣湯下之盪

胃實　要畧○承氣湯　下利三部脉皆平按之心下堅者急下之○下利譫語者有燥屎也小承氣湯主之

脾虛　香砂養胃脾虛弱脾冷參苓白朮量陷下升陽除溼提木來侮土出囟望

回春○香砂養胃湯　治脾瀉食後到飽瀉去即寬依本方加芍藥山藥去木香茯苓白蔻（方見飲食）腹痛加木香茴香○渴加葛根○溺赤加木通華前○嘔噦惡心加藿香半夏○夏月加黃連白稨豆○冬月加乾薑

○參苓白朮散　治虛瀉飲食入口即瀉水穀不

六要香砂六君子湯
暑月胃虚食冷
作吐瀉不止二陳加
人参藿香砂仁姜
冷々服如口渴
甚冷浸冷服

化

依本方去扁桔苡加藿香陳皮乾薑柯子肉

豆蔻

東垣○升陽除溼湯　治脾胃虛弱不思飲食腸鳴腹

痛泄瀉無度小便黃四支困弱

甘艸　麥芽　陳皮　猪苓各二分

澤瀉　益智　半夏　防風

神麯　升麻　茈胡　羌活各五分

蒼朮一錢

薑三片棗二枚水三盞煎一盞服○祕藏曰自

下而上者引而去之○如胃冷腸鳴加益智半

夏各五分

蔵氏曰水瀉腹不痛者爲濕痛者爲食積

纂附○劉草窓治痛瀉要方

白朮三兩 炒芍二兩 陳皮一兩半 防風一兩

水煎服○久瀉加升麻六錢

豊溪吳氏曰瀉責之脾痛責之肝肝責之實脾責之虛脾虛肝實故令痛瀉是方也炒朮健脾炒芍瀉肝炒陳醒脾防風散肝或問痛瀉何以不責之傷食余曰傷食腹痛得瀉便減今瀉而痛不止故責之土敗木賊也

腎虛

四神主腎虛晨瀉六味丸合四神丸主腎虛久泄溏火衰

脾胃弱虛寒丸八味十全大補湯腎脾氣血俱虛尫

摘要○四神丸 治脾胃虛弱大便不實飲食不思或泄痢腹痛等症兼治腎泄清晨溏泄一二次經年弗止者

破故紙四兩 吳茱萸一兩 肉豆蔻

五味子各二兩

棗肉丸鹽湯下○茭山吳氏方去茱萸加木香

茴香各一兩

許氏曰濟生二神丸治脾胃虛寒泄瀉用破故紙補腎肉豆蔻補脾二藥雖兼補但無斡旋往往常加木香以順其氣使之斡旋空虛倉稟倉稟空虛則受物矣屢用見效因名三神丸○藍溪吳氏曰脾主水穀腎主二便脾弱則不能消磨水穀腎虛則不能禁固二便故令泄瀉不止肉蔻辛溫而澁溫能益脾澁能止瀉破紙味辛而溫辛則散邪溫則煖腎脾腎不虛不寒則泄瀉止矣

滑脫

久而滑泄腸虛弱氣脫眞人養藏湯腸

滑泄久而脾氣下陷乃投加芎補中益氣湯粟

縱慾傷腎閉藏失職五更溏泄百藥無効五味子散 佳五味子二兩 呉茱萸半兩共炒為末極細陳米湯下二錢不止二神丹主之

逆挽湯　痢二三日微熱泄瀉數十行而帶血裡急後重從内出表故名之　赤圭生
銘腰乾各八分　參六分素虛弱者倍之壳各分卄水煎　蒼朮地榆湯　治脾
圣爻湿下血痢　蒼朮六錢地榆二錢　蔚金散　治挑毒痢下血不止
直莫爵金槐花各五分卄少錢右細末每服二錢食前豆豉湯調下
赤水玄珠　治噤口痢方　枇杷葉蜜炒二兩砂仁蜜炒五錢為末蜜調抹口
中嘔下　長久吾治痢奇方　黃芩黃連生芍山查各二錢只壳賓郎
厚朴青皮各八分當歸卄地榆各五分紅花酒洗三分木香二分桃仁一錢罩白
者加黃八四分蜜三分去檳榔滯濇甚者加酒炒軍一錢　司令　赤白痢通用
常効方　黃連黃芩歸尾陳皮山查神曲白芍壳芽木香賓郎
白痢方　蒼朮白朮茯苓陳皮卄少黃芩只壳神曲　赤痢方　黃
連黃栢地榆丹皮赤芍歸尾生地卄少　治痢者虛弱調血清氣
常用効方　人參當歸芍藥扁豆陳皮各七分白朮茯苓八分卄少黃
連石膏神曲各五分黃栢三分　和中湯　芍藥大厚朴只壳青皮藿
香各中砂仁木香乾姜各小卄少　產前後痢病得效奇

痢疾

表症

風　痢疾外邪先解外風邪敗毒散與沖和湯

暑　暑邪六乙散茹苓散等 虛者錢氏白朮散

寒　寒氣理中湯 五積散 瘥溼氣升陽除溼主之

溼　濟世○升陽除溼湯　治下痢大便裡急後重數至厠而不能便不拘赤白膿血愼勿利之升其陽則陰火自退矣 東垣先生方論

防風　炒芍 各一錢半　茯苓　白朮 各一錢

蒼朮　甘草 五分　葛根 一錢　生薑 三片

冬加桂枝乾薑紫蘇柴胡羌活山楂木香○食傷加麥芽

疫痢　時行疫痢敗毒散加橘皮科

半表　嘔而寒熱柴苓湯劑此是外邪半表過

裡症　裡症便堅承氣湯下之正傳芍藥實人宜

實　正傳○芍藥湯　行血則便膿自愈和氣則後重自除

此藥是也

芍藥二錢　當歸　黃連　黃芩各一錢

大黃七分　甘艸　檳榔　木香

肉桂各五分

如初病後重窘迫甚者倍大黃加芒硝一錢○

痞滿氣不宜通加枳實一錢○藏毒下血加黃

蘗一錢○龔氏壽世加蘗皮枳殼滑石去桂○

李氏入門曰痢已後重不解去梹榔換條芩加

虛　　瘀

升麻提之

豐溪吳氏曰河間云行血則便膿自愈故用歸芍補黃以行血和氣則後重自除故用木香枳艸以和氣若能堅腸寒能勝熱故用芩連厚腸胃而去熱有假其氣則無禁也故假桂心之辛熱爲反佐

虛人初利拔清劑爲取回春芍藥醫

回春〇芍藥湯　虛弱人初痢宜清之

芍藥　黃芩　黃連各二錢　升麻五分

檳榔　木香　枳殻　當歸各一錢

水煎溫服

中山氏曰歸芍調血和血芩連退熱清腸木香行氣甘艸和中此血和則腹痛後重除腸清則澄毒濃血止

有瘀桃仁承氣湯活或因誤溫以致血瘀者犀角地黃湯

食　氣

金溪逐瘀稍輕治

壽世○逐瘀湯　治赤痢血痢痛不可忍又治血痔其効如神痢雖垂死一服即愈

阿膠　枳殼　茯苓　茯神

白芷　川芎　赤芍　生地

莪述　木通　五靈脂　甘草各一錢

桃仁　大黃各一錢半

水煎入蜜三匙再煎溫服

食傷備急丹　量平胃散或枳實導滯湯

氣積木香檳榔丸　後重竒

丹溪先生曰後重積與氣墜下之故兼升兼消宜木香檳榔丸之類○豊溪吳氏曰痢疾初作

虛

裡急後重腸胃中有積滯者此尤主之內經云溼淫所勝平以苦熱故用木香熱者寒之故用芩連蘗皮抑者散之故用青陳香附強者瀉之故用大黃丑末逸者行之故用檳榔枳殼留者攻之故用莪朮三稜燥者濡之故用當歸是方也惟質實者堪與之虛者非所宜也故曰虛者十補勿一瀉之

[illegible]下痢稍久

○白朮和中湯　下痢白多不拘新久或用藥下後未愈者用之和之

當歸　芍藥　白朮　茯苓

陳皮　黃芩　黃連　甘艸

木香

水煎食前服○回春曰治虛勞赤白痢疾腹痛後重○紅痢加阿膠○白痢加炒黑乾薑

東井○和中湯 治痢疾脾胃不調白多屬虛寒等症

青皮 厚朴 枳殼 藿香各中

芍藥大 白朮 蒼朮 砂仁

甘草各小

水煎服○一方去二朮加乾薑木香

調和飲赤痢漸衰虛

壽世○當歸調血湯即回春調和飲 下利紅多不拘新久或服藥下後未愈者用此調之

當歸一錢半 川芎 黃連 黃芩

桃仁各一錢　芍藥三錢　升麻三分
水煎空心服。○如白痢加吳茰一錢。○赤白痢
加朮苓陳皮香附子各一錢
丹溪先生曰血痢久不愈者屬陰虛四
物湯爲主凉血和血當歸桃仁之屬

久虛調養兼升澀龔氏參歸芍藥司
回春○參歸芍藥湯　下痢日久不止者宜調養氣血
兼升澀也
當歸二錢　茯苓　白朮一錢　砂仁七分
人參　山藥　陳皮各半錢　甘州五分
燈心烏梅蓮肉水煎溫服。○噤口痢加黃連炒
米。○虛坐而大便不行者血虛也合四物湯。○
裡急後重加木香檳榔。○久痢後重者虛氣墜

下也用升麻爲君○痢作痛者熱流下也加芩芍清之○有紫血者加桃紅○痢下如荳汁者是溼也加蒼朮

○六味丸加地榆阿膠芩連生地　主血痢及下血久不止

法律○加減平胃散　經曰四時皆以胃氣爲本久下血則脾胃虛損血水流於四肢卻入於胃而爲血痢宜服此滋養脾胃

白朮　厚朴　陳皮各一兩　木香

梹榔各三錢　甘草七錢　桃仁　人參

黃連　阿膠　茯苓各五錢

薑三片棗一枚水煎服○血多加桃仁○熱泄

加黃連○滑濇加茯苓澤瀉○腹痛加桂芍甘艸○膿多加阿膠○濇多加白朮○脉洪大加大黃

滑脫

滑脫下墜收斂可眞人養藏與神効參香散

局方○純陽眞人養藏湯　治大人小兒腸胃虛弱冷熱不調藏府受寒下痢赤白或便膿血有如魚腦裡急後重臍腹疞痛日夜無度胸膈痞悶脇肋脹滿全不思食及治脫肛墜下酒毒便血諸藥不効者並治之

芍藥一兩六錢　當歸　人參　白朮各六錢

肉蔻半兩　肉桂　甘艸各八錢　木香一兩四錢

柯子一兩二錢　罌粟殼三兩六錢

每二錢水一盞半煎八分食前溫服○如腸胃滑泄夜起久不瘥者加附子三四片○龔氏曰春去甘艸加乾薑

豐溪吳氏曰甘可以補虛故用參术甘艸溫可以養藏故用桂蔻木香酸可以收斂故用芍藥澁可以固脫故用粟殼訶子是方也但可以治虛寒氣弱之脫肛耳若大便燥結努力脫肛者則屬熱而非寒矣此方不中與也與之則病益甚

訶方

○神効參香散 治痢疾赤白

肉豆蔻 茯苓各四兩 人參 木香

稨豆各二兩 粟殼 陳皮各十二兩

爲末每三錢溫米飲調下○虞氏曰治痢疾日久穢積已少腹中不痛或微痛不後重窘迫但滑溜不止乃收功之後藥也

休息

仲景○桃花湯　少陰病下利便膿血者主之

赤石脂一斤　乾薑一兩　粳米一升

水七升煮米令熟去滓溫服

丹溪先生曰此病屬下焦血虛且寒非乾薑之溫石脂之澁且重不能止血粳米味甘引入腸胃不使重澁之體少有凝滯故煮成湯液藥行易散○蓬溪李氏曰赤石脂之重濇入下焦血分而固脫乾薑之辛溫暖下焦氣分而補虛粳米之甘溫佐石脂乾薑而潤腸胃也

休息再來休息久難愈八物四神益氣望之

入門○八物湯加陳皮阿膠芩連　主休息痢經年月不瘥過服涼藥以致氣血虛者○或十全大補湯○腎虛者四神丸○脾胃虛者補中益氣湯

參苓白朮散

噤口 禁口参連凉胃熱参苓白朮石菖陽

回春〇参連湯 丹溪先生方 下痢噤口不食者脾虚胃熱甚也

人参 五錢 黄連 一兩

水煎終日時呷之如吐再強飲但得一口呷下咽喉即好加蓮肉三錢尤効外以田螺搗爛盦臍中引熱下行故也

入門〇参苓白朮散去山藥加石昌陽 治噤口痢過服利藥及脾胃虚者

仁齋楊氏曰下痢禁口雖是脾虚亦熱氣閉隔心胸所致俗用木香失之温用山藥失之閉惟参苓白朮散加石菖蒲粳米飲調下或用参苓石蓮肉少入菖蒲服胸次一開自然思食

良方○倉廩湯　治痢疾心煩手足溫頭痛此熱毒上衝宜用此湯

卽敗毒散每服四五錢加陳倉米百粒

婁氏曰噤口痢未服涼藥者此乃毒氣上衝心肺所以嘔而不食宜用敗毒散加陳倉米薑棗水煎服○孤竹王氏曰此方治瘧痢俱作寒熱腹痛煩渴及噤口者加黄芩一錢半三五貼之後後重腸痛寒熱煩渴脉沉實以大柴胡湯下之○雲林龔氏曰噤口痢其症有冷有熱有冷熱不調皆須先發散表裡用此方

發吃　若看發吃尤危症參朮煎湯送六七散嘗見濟世全書

調理　調理暑時淸暑益氣十全大補太虛良

方考 ○清暑益氣湯　痢疾已愈中氣虛弱暑令尚在者此方主之

○十全太補湯　痢疾已愈氣血太虛者此方主之

東垣腸澼下血論

大陰陽明論曰食飲不節起居不時者陰受之陰受之則入五臟入五藏則䐜滿閉塞下為飧泄久為腸澼夫腸澼者為水穀与血另作一派如泖桶湧出也今時值長夏濕熱大盛正當客氣勝而主氣弱也故腸澼之病甚以涼血地黃湯主之方見後

加減之法

如小便澁臍下悶或大便則後重調蜜檳末各五稍熱服空心或食前　如裏急後重又不去者當下之

如有傳變隨症加減　如腹中動搖有水聲小便不調

者停飲也診顯何藏之脉以去水飲藥浮之假令脉洪大用浮火利小便藥之类是也如胃虛不能食而大渴不止者不可用淡滲之藥止之乃胃中元氣少故也与七味白朮散補之

便血

藏毒下血濁汚因藏毒黄連解毒四物層

醫鑑○解毒四物湯 京師傳 治大便下血不問糞前糞後腸風臟毒等症

當歸八分 川芎五分 炒芍六分 生地黄一錢
炒連六分 炒芩八分 炒蘗七分 炒梔子七分
地榆八分 槐花炒五分 阿膠六分 側栢葉炒六分
水煎服○腹脹加陳皮六分○氣虛加參朮木香各三分○腸風加荊芥五分○氣下陷加升麻五分○心血不足加茯苓六分○虛寒加炒乾薑五分

腸風

腸風敗毒槐荊入

醫林 ○敗毒散 治風熱入大腸下血不止加生薑薄荷桑白皮烏楳○楊氏心法曰解散腸胃風邪熱則用敗毒散冷者與不換金正氣散加芎歸○劉氏玉機曰因酒毒加黃連○李氏入門曰腸風下血依本方加槐花荊芥虛者不換金正氣散久虛者胃風湯

酒毒

酒毒黃連用酒蒸

入門 ○酒蒸黃連丸 出活人書 治酒毒積熱下血肛門作熱又厚腸胃

黃連一斤剉用好酒四盞浸瓦器中置甑上冒蒸至爛取出晒乾為末水丸梧子大每五十丸溫水下○本事方加生薑

血崩　涼血地黃投血崩升陽去熱和血應

東垣○涼血地黃湯　治血下如瀉桶湧出也

地黃　當歸　槐花　青皮各五分

知母　黃蘗各一錢

婁氏曰長夏病甚者爲溼熱涼血地黃湯主之

○升陽去熱和血湯　治腸澼下血別作一派其血唧出有力而遠射四散如篩脊中血下行腹中大痛乃陽明氣衝熱毒所作也當升陽去溼熱和血脉是其治也

陳皮二分　地黃　當歸　蒼朮

秦艽　肉桂各三分　生地　牡丹

甘草各三分　升麻七分　甘草　黃芪各一錢

芍藥一錢半

水煎稍熱服

瘀血　桃仁承氣治因瘀輕者宜連蒲湯

溼熱　溼熱來紅白蘗承

入門○白蘗丸　治溼熱下血

白术五錢　黃蘗　生地　芍藥

黃芩　地榆　香附子各二錢

爲末蒸餅爲丸服

準繩○連蒲湯　戴復菴曰血色鮮紅者多因內蘊熱毒毒氣入腸胃或因飲酒過多及啖糟藏炙煿引血入大腸故瀉鮮血宜此湯

黃連　蒲黃各一錢二分　黃芩

食寒勞

當歸　生苄　枳殼　槐角

芍藥　川芎各一錢　甘艸五分

酒毒加青皮葛根

食傷平胃梡槐歸楪○虛者六君子湯加芎歸神麴增

寒氣色黯理中湯平胃散合枳加升葛神麴益智當歸地榆生薑大棗

勞傷益氣四君子太補歸脾擇用勝

壽世○補中益氣湯加阿膠地榆槐花椿根皮治虛人太便下血○又曰下血服藏連丸等藥其血愈多形體消瘦發熱少食脾氣下陷以補中益氣湯加炒黑乾薑立已

入門○四君子湯　主內傷中氣虛弱者○楊氏曰無氣生於穀氣故太腸下血太抵以胃藥收功以

四君子湯參苓白朮散和之胃氣一回血自循於經矣

○十全太補湯　主內傷脉絡下血者

○歸脾湯　主內傷憂患怔忡少寢有汗者○寒熱脇痛小腹悶墜拘急者逍遥散加茈胡山梔

收剤　濟此

○斷紅散　治腸風藏毒下血

烏楳焙一兩　五倍子炒五錢　槐花三錢

枳殼一錢半　黃連炒三錢　地榆二錢　荊芥三錢

白芷二錢

爲末每三錢空心酒調服遠年者亦斷根

治二便不通　孫真人方

桃葉杵汁半升服冬加榆皮

祕結

血燥

血枯便閉潤腸湯湯虛者通幽用緩方

祕藏○潤腸湯　治大腸結燥不通

生地　甘草各二錢　大黃　熟地黃

當歸尾　升麻　桃仁　麻仁各一錢

紅花三分

水煎溫服○去大黃麻仁餘七味名通幽湯○龔氏回春曰發熱加柴胡○腹痛加木香○氣虛而閉加人參郁李仁○氣實而閉加木香檳榔

薑溪吳氏曰大腸得血則潤亡血則燥故用熟地當歸以養血初燥動血久燥血瘀故用

桃仁紅花以去瘀麻仁所以潤腸大黄所以通燥血熱則凉以生地黄氣熱則凉以生甘草微入升麻消風熱也

○潤腸丸　治脾胃中伏火大便秘澀或乾燥閉塞不通及風結血秘皆令閉塞也以潤燥和血踈風自然通利矣

桃仁　麻仁各一兩　歸尾　大黄

羌活各五錢

爲末和兩仁泥蜜丸梧子大每三五十丸空心白湯下

食積　食積因寒投備急丸熱傷枳實大黄量方見飲食

風秘　風秘因風潤燥丸君羌活

○活血潤燥丸　治大便風秘血秘常常秘結

氣祕　虫積　痰滞　藏寒　胃火　腎火

歸尾五錢　防風三錢　大黃　羌活各一兩
皂角五錢燒存性　桃仁二兩　麻仁二兩半

氣祕三和散最可望蟲積木香檳榔丸主滯痰積梡二陳藏寒氣澀血枯五積散單蓽附湯胃火瀉來白虎凉腎火蘗皮名太補丸方見火門

考○太補丸　太便燥結甦中口渴者此方主之腎主五液腎水一虧則五液皆涸故上見口渴下見燥結也黃蘗味苦而厚質潤而濡為陰中之陰故能滋水陰補腎水此經所謂燥者濡之又謂之滋其化源也他如六味地黃丸虎潛丸皆益腎之藥均可選用

氣虛

氣虛益氣補中湯良楚氏曰加杏仁麻仁郁李仁枳梡

局方 ○黄耆湯 治年高老人大便秘澁

黄芪 陳皮各半兩

爲末每三錢用麻仁一合研爛以水投取漿一盞去滓於銀石器内煎候有乳起即入白蜜一大匙再煎令沸調藥末空心食前服

二便倶閉

二便倶閉尤難療顛倒乃煎八正藥

回春 ○八正散 治大小便不通

○顛倒散 治藏府實熱大小便不通

大黄六錢 滑石 皂角各三錢

爲末黄酒送下

脫症

氣下陷　脫症提氣參芪劑尤妙補中益氣方

方考○丹溪脫症方　久瀉脫症者此方主之

人參　黃芪　川芎　當歸

升麻

龔氏回春加朮芍桔甘之類○虛寒加乾薑

瀉久則傷氣下多則亡陰是氣血皆虧矣故令廣腸虛脫氣不定者補之以甘溫故用參芪陰不足者養之以厚味故用芎歸下者舉之故用升麻

入門○補中益氣湯加訶子樗根皮　溫脾補陽胃

溼熱　溼熱升陽除溼湯主之

兼痢　若兼痢四物加黃連槐花升麻湯良

腎虛　腎虛六味丸補陰分八味丸陽分虛最可嘗

氣熱　氣熱黄芩六兩升麻一兩搦麫糊丸服

血熱　血熱蘗皮升麻四物湯血熱量

風邪　風邪攻注肛成脱肛敗毒散中枳殼望

收濇　東垣○訶子皮散　治腸頭脱下滑泄或赤白膿痢

罌粟殼蜜炒　炮乾薑　陳皮

訶子

手足麻木　不知痛痒霜降後桑葉煎湯頻洗　救急方

卷之十

要卷之十一

痺痲木

龜山三友齋埜謙亭編

風

麻痺屬風烏順氣

入門○烏藥順氣散　主風多痛不定方見中風

良方○三痺湯　治血氣凝滯手足拘攣風痺等症

續斷　杜仲　防風　桂心

細辛　人參　茯苓　當歸

芍藥　黃芪　牛膝　甘艸各五分

秦艽　生地　川芎　獨活各三分

薑棗水煎服○埜氏曰挾熱去桂加芩連○麻

甚加川烏

寒

屬寒五積理中湯

入門○五積散加天麻附子　主寒多掣痛○寒溼五積交加散即五積散合敗毒散

○三痹湯合三五七散　主冷痹身寒不熱腰脚沉冷○或附子理中湯

溼

溼令五痹重著痛三妙乃能溼熱攘

局○五痹湯　治風寒溼邪客留肌體手足緩弱麻痹不仁或氣血失順痹滯不仁

羌活　白朮　防已各一兩　薑黃一兩

甘艸半兩

生薑十片水一盞半煎八分病在上食後服病在下食前服

大全○蠲痺湯　治風溼相搏手足冷痺腰腿沉重身體煩疼

黃芪　防風各二兩半　羌活　赤芍

薑黃　當歸各二兩　甘艸炙半兩

薑水煎服

崑溪吳氏曰溼氣著於肌肉則營衛之氣不榮令人痺而不仁是方也羌防風藥也用之勝溼經曰營血虛則不仁故用當歸以養營又曰衛氣虛則不用故用黃芪以益衛用夫赤芍薑黃者治其溼傷之血也用夫甘艸者益其溼傷之氣也

入門○當歸拈痛湯　主溼多浮腫重著○或用羌活勝溼湯防已黃芪湯

溼熱

正傳○三妙丸　治溼熱下流兩脚麻木或如火烙之熱

黄蘗四兩 蒼朮六兩 牛膝二兩

爲末麪糊丸梧子大每五七十丸空心葱鹽湯下

埜氏曰蒼朮泄濕黄蘗涼熱牛膝引下大蒼朮者治上焦濕之劑然而有牛膝引之則下可至湧泉之地況四支胃土之所主蒼朮乃爲足陽明太陰之藥乎故此方爲治下焦濕熱之妙方如濕在上焦者董氏清熱滲濕湯予之芩連除濕湯可擇而用之

熱

熱痺升麻虛者與清涼潤燥實人量

入門○宣明升麻湯 治熱痺兼治諸風 河間先生方

升麻一錢半 茯神 人參 防風

犀角 羚羊角 羌活 肉桂各二分半

薑煎入竹瀝少許調服

埜氏曰四氣暑則不成痺故無因熱而痺者此言熱痺蓋指痺處熱者乎宣明此方乃治

陽明經虛痺之劑其人參茯神補虛羌活防風順痺升麻犀角引經羚羊角入肝藥也用之以防木尅土之讐而成陽明之宜和者也夫經虛受邪氣者久則鬱發而所患多熱補虛疎經所以熱痺之退也

痰

壽世○清涼潤燥湯　治風熱血燥皮膚搔痒頭面手足麻木

當歸　生地各一錢半　黃連　黃芩

白芍　川芎各一錢　天麻　防風

羌活　荊芥各八分　細辛六分　甘草五分

水煎食遠服○麻甚加川烏炮三分

有痰壽世消痰用兼血澀痰雙合當

○止麻消痰飲　治口舌麻木涎及嘴角頭面亦麻或嘔吐痰涎或頭眩眼花惡心遍身麻木

半夏　陳皮　茯苓　甘艸
枳殼　南星　瓜蔞　桔梗
黄芩　黄連　天麻　細辛
薑水煎服○血虚加當歸○氣虚加人參○溼
痰加蒼朮以佐附子○埜氏曰入竹瀝薑汁服
回春○雙合湯　木是溼痰死血也
半夏　陳皮　茯苓　甘艸
當歸　川芎　芍藥　生地
白芥子各一錢　桃仁八分　紅花三分
生薑三片水煎熟入竹瀝薑汁同服○丹溪先
生曰十指麻木是胃中有溼痰死血宜二陳湯
加二朮桃紅以加附子行經

七情

開結舒經因七氣

○開結舒經湯　婦人手足麻痺者七情六鬱滯

經絡也

紫蘇　陳皮　香附　烏藥

川芎　蒼朮　羌活　南星

半夏　當歸各八分　桂枝三分　甘草四分

薑水煎入竹瀝薑汁同服

氣虛

四君益氣氣虛嘗

入門○四君子湯加桂附　主氣虛痺關節不充陽虛

陰盛也

回春○加味益氣湯　麻是渾身氣虛也主之

黃芪　人參　白朮　陳皮

當歸各一錢 升麻 柴胡 木香各五分
香附 青皮 川芎各八分 桂枝少許
甘艸三分
薑棗水煎服○治十指盡麻并面目皆麻此亦氣虚也以補中益氣湯加木香麥冬香附羌活防風烏藥立愈

醫目○桂枝五物湯長沙先生方 氣虚挾風寒者主之
黄芪三兩 芍藥 桂枝各三兩 生薑六兩
大棗十二枚
水六升煮取二升溫服○林氏億曰一方有人參

血虚合八仙加味瘀血桃紅四物湯

血虚

回春〇加味八仙湯　治手足麻木

當歸　川芎　熟苄　半夏各七分

白芍　陳皮各八分　人參　秦艽

牛膝各六分　白朮四錢　茯苓二錢　桂枝三分

柴胡　甘草各四分　羌活　防風各五分

瘀血

濟生〇防風湯　治血痺肌痺皮痺

當歸　赤茯苓　獨活　赤芍藥

黃芩　秦艽各五分　桂心　杏仁

甘草各二分半　防風一錢

薑棗水煎食遠服

入門〇四物湯加桃紅竹瀝薑汁　主瘀血者

生薑水煎溫服

若又腎脂枯髓涸乃用太補十全方

脂枯　○十全太補湯　主腎脂枯涸不行髓少筋弱凍慄攣急者

二陳連芎膏粱味行溼流氣補早良

厚味　○二陳湯加芎藥黃連　若厚味過多下必遺滑上必痞悶先用此降火然後用本症藥

補早　○行溼流氣飲　初病驟用參芪歸芍則氣血滯而邪鬱經絡不散此方主之

蒼朮　羌活　防風　川烏各一兩

薏以二兩　茯苓一兩半

爲末每二錢溫酒或薏湯下

周身

補遺方

蘭室　○神効黄芪湯　治渾身麻木不仁或頭面手足肘背或腿脚麻木不仁如兩目緊急縮小及羞明畏日隱澀難開或視物無力睛痛昏花手不得近或目火精光或目中熱如火服五六次可効

蔓荊一錢　陳皮五分　人參八錢　甘艸炙

白芍各一兩　黄芪二兩

水煎熱服○南豐李氏曰遍身麻木掣痛者乃肝氣不行也宜先汗後補○埜氏曰加柴胡鬱金川芎當歸尤効

皮膚

○補氣湯　治皮膚間有麻木乃肝氣不行故也

白芍　橘皮一兩五錢　炙甘草　黃芪各一兩

澤瀉五錢

水煎溫服

兩手

○人參益氣湯　治兩手指麻木四支困倦怠惰嗜臥乃熱傷元氣也

黃芪八錢　生甘草　人參各五錢　白芍三分

柴胡二錢　炙甘草　升麻　五味子

水煎稍熱食遠服

左手足

○天麻黃芪湯　治表有風證因連日醉飲復來右口角并眼顏有側視及左手左腳腿麻木瘀痛

天麻　芍藥　神麯　羌活

茯苓各三分　人參　黃連各四分　當歸五分

黃芪　甘艸　升麻　葛根

黃蘗　蒼朮各六分　澤瀉七分　柴胡九分

水煎食遠溫服

兩腿○導氣湯　治兩腿麻木沉重

黃芪八錢　甘艸六錢　青皮四錢　升麻

柴胡　歸稍　澤瀉各二錢　橘皮一錢

紅花少許　五味子一百廿箇

水煎食前熱服

兩手　醫鑒○治兩手麻木疼痛　雲林製

當歸　川芎　白芷　黃芩

黃連　蒼朮　羌活　防風

桔梗　南星　半夏　桂枝

甘艸各等分

生薑水煎服

兩足

○治兩足麻木疼痛　雲林製

當歸　白芍　白朮　蒼朮

陳皮　半夏　茯苓　黃栢

川牛膝　威靈仙　桃仁　紅花

甘艸各等分

生薑五片水煎入竹瀝同服

痰厥

回春○加減天麻湯　治頭目四支麻木飲食少用不

時眼黑

半夏八分　白朮七分　天麻五分　神麯五分

風溼

川芎七分　澤瀉五分　陳皮一錢　防風一分

茯苓五分　蒼朮三分　白芷二分　黃芪三分

人參三分　甘艸三分

生薑三片　黑棗二枚　水煎至八分食遠服

○袪風散　凡人遍身麻痺謂之不仁皆因氣虛受風溼所致也

生川烏　白朮　白芷各三錢　甘艸二錢

為末調酒吞下五補丸

○五補丸

黃芪一兩　人參　白芍各五錢　當歸三錢

大附子一箇

為末煉蜜為丸用袪風散送下

疙瘩

醫鑒○清風散　治身體麻木遍身結核北人謂之生飯南人謂之鼓槌俗謂風疙瘩俱屬熱氣滯

防風　羌活　獨活　連翹

當歸　生地　梹榔　黃連

鼠粘子　防已各五分　荊芥　木香各三分

赤芍　蒼朮　陳皮　半夏

白茯　升麻各一錢　烏藥　牛膝

玄參各七分　木瓜　金銀花各六分

萆薢二錢　白蒺藜八分

薑三片葱白五寸水二盞煎八分服

筋痹

醫林○羚羊角散　治筋痹肢節束痛

羚羊角　薄桂　附子　獨活各一兩半

白芍　防風　川芎各一兩

薑水煎服

五痺湯　治五藏痺　人參　茯苓　當歸　芍藥　川芎各一錢

肝心腎三痺倍用之　五味子十五粒　白朮一錢　脾痺倍之　細辛七分　甘草五分

姜三片　肝加柴胡　棗心加茯神　犀角　脾只殼　縮砂　肺杏仁　紫菀

广黃　腎月加獨活　官桂　杜仲　牛膝　草薢

風痺者防風湯　防風　當歸　赤茯苓　杏仁各一錢　黃芩　秦艽　葛根

羌活八分　桂枝　甘草五分　姜三片　舒世防風湯　治血痺　皮膚不仁以

赤芍代雞以護作獨活　濕痺者壳曲川芎湯　赤茯苓　防風

蒼朮　广黃　當歸　芍藥　官桂　甘草　棗二枚　寒痺者五積散加減

攣痺者升广湯　腸痺者五苓散　胞痺者堅瀝湯　血痺

者當歸湯　當歸　赤芍　獨活　治防風　赤茯苓　黃芩　秦艽　甘草

圭心　姜　周痺者獨痺湯　當歸　芍藥　黃芪　姜黃　羌活　甘

加姜棗

肝　　心

瘛瘲

瘛瘲肝虚ハ續斷ヲ心風ハ續命煑散功アリ

千金○續斷丸　治肝勞虚寒脇痛脹滿眼昏不食攣縮瘛瘲

續斷　川芎　當歸　半夏

橘紅　炮薑各一兩　桂心　炙甘各半兩

○續命煑散　治風氣留滯心中昏憒四支無力口眼瞤動或時搐搦或渴或自汗

防風　獨活　當歸　人參

細辛　葛根　芍藥　甘艸

川芎　熟地　遠志　荊芥

半夏各五錢　官桂七錢半　生薑三片

汗多者加牡蠣粉一錢半

脾虛氣弱人參益獨活胃風療胃風

○人參益氣湯　治熱傷元氣四支困倦手指麻

木瘛瘲

黃芪二錢　炙甘　升麻各五分　五味子三十粒

柴胡六分　生甘五分　人參一錢二分　炙甘五分

白芍七分

○獨活湯　治風虛昏憒不自覺知手足瘛瘲或

爲寒熱血虛不能服發汗藥及中風自汗尤宜服之

獨活　羌活　人參　防風

當歸　細辛　茯神　遠志

半夏　桂心　白薇　菖蒲

川芎各五錢　甘艸二錢半　生薑五片

○胃風湯　治虛風症能食麻木牙關緊急手足瘛瘲目內蠕瞤胃中有風面腫

白芷一錢二分　升麻二錢　葛根一錢　蒼朮一錢

甘艸炙五分　柴胡　藁本　羌活

黃蘗　艸蔻各五分　麻黃連節半錢　蔓荊子

當歸身各一錢

生薑三片　大棗二枚

風熱

風熱千金煎獨活節菴如聖乃良

千金○獨活散　消風化痰

細辛　石膏　炙甘各半兩　防風

藁本　旋覆花　川芎　蔓荊子

獨活各一兩

生薑三片

六書○如聖飲　傷寒重感寒溼則成剛柔二痓頭面

面頭強直手足搐頭搖口噤背張與瘛瘲同治

法並宜之

羌活　防風　川芎　白芷

柴胡　芍藥　當歸　烏藥

半夏　黃芩　甘艸

生薑三片水煎臨服入竹瀝薑汁溫服○有汗是柔痓加白朮桂枝○無汗是剛痓加麻黃蒼朮○口噤咬牙者大便實用大黃利之

結胸失下者宜承氣湯產後防風表補通

本事○防風湯　治中風內虛脚弱語蹇

石斛一錢半　地黃　杜仲　丹參

防風　川芎　麥冬　桂心

獨活各一錢

婁氏曰產後因虛傷風成痓痓同傷表症末傳入裏宜服防風湯

○愈風湯　治産後中風口噤瘛瘲亦治血暈四支強直　華先生方

荊芥

畧炒爲末每三錢豆淋酒下

蓬溪李氏曰此方諸書盛稱其妙姚僧坦集驗方以酒服名如聖散云藥下可立待應於陳氏方名舉卿古拜散蕭存敬方用古老錢煎湯服名一捻金王貺指迷方加當歸等分水煎服載原禮證治要訣名獨行散賈似道悅生隨鈔呼爲再生丹○按唐韻荊字舉卿切芥字古拜切蓋二字之反切隱語以秘其方也

虞天民曰古之所謂痛痺者即今之痛風也大法用蒼朮南星川芎白芷當歸酒黄芩在上羌活桔梗威靈仙在下午膝防己木通黄柏

司命通治通風方　治上中下痛風

曲台芎二兩防己白芷桃仁各錢桂去皮威靈仙羌活三錢胆少錢黄連蒼朮南星二兩神曲糊丸

痛風

痛風羌活湯爲主

（回春）羌活湯　遍身骨節疼痛者皆是血氣風溼痰火也主之

羌活　蒼朮　黄芩　當歸

芍藥　茯苓　香附　半夏各一錢半

甘草三分　陳皮　木香各七分

薑水煎服○風加防風○溼倍蒼朮○熱痰加瓜蔞桔梗○血虛加生地黄○上痛加白芷葳靈仙○下痛加黄蘗牛膝○痛甚加乳香○發熱加柴胡○小水短赤加木通○手臂痛加桂

枝

羊氏曰歸芎和血朮苓和氣羌蒼去風溼陳半順痰黄芩凉火香附調血中之氣木香理氣中之血而甘草和諸藥而成交泰此乃上下諸因痛風之主藥也或曰木香理氣中之血何以言之曰案本草木香乃三焦氣分之藥而龔氏謂治血氣刺心痛劉氏謂治腸風下血則此非氣中之血藥乎故可對香附子爲調順氣血之君藥尤得良効者也

清溼化痰化溼痰

○清溼化痰湯　治遍身四支骨節走注疼痛牽引胸背亦作寒熱喘咳煩悶或作腫塊痛難轉側或四支麻痺不仁或背心一點如氷冷脉來沉滑乃是溼痰流注經絡關節不利故也

南星　半夏　陳皮　茯苓

蒼朮　羌活　黄芩　白芷

風

白芥各一錢　甘艸三分

水煎入竹瀝薑汁磨木香溫服　○骨體痛甚及有腫塊作痛者名曰痰塊加乳香没藥朴硝海石　○頭項痛加川芎威靈仙　○手臂髆痛加桂枝引南星等藥到痛處

敗毒防風風作痛

○敗毒散　痛風痛有常處赤腫灼熱或渾身壯熱此欲成風毒依本方

入門　○防風通聖散　主風症黃汗出面微紅掣痛熱者　○虛者為藥順氣散獨活寄生湯

辨惑　○羌活勝濕湯　肩背痛不可回顧者此手太陽氣鬱而不行以風藥散之脊痛項強腰似折項

似拔此足太陽經不通行也主之

羌活　獨活各一錢　藁本　防風

炙甘　川芎各五分　蔓荊子三分

水煎溫服○如身重腰沉沉然經中有寒溼也加酒洗防已五分輕者附子五分重者川烏五分○南豐李氏曰有鬱加升麻柴胡○有溼熱加蒼朮黃檗各五分

溼

溼因滲溼寄生合

入門○滲溼湯　主外因溼症腫滿身痛如脫者即局方滲溼湯方見溼門○寒溼者附子六物湯○溼熱者五苓散加蒼朮防風羌活白芷黃檗竹瀝薑汁

三因○獨活寄生湯　治白虎歷節風亦治腰背痛及脚氣流注方見脚氣門

暑溼相搏

暑令合溼相攻搏面赤溺赤敗毒散五苓散合劑堪加芍藥當歸

寒

寒氣成疼投五積

回春○加味五積散　治四支骨節痛因虛寒者宜之

依本方加羌活獨活穿山甲

三因○附子八物湯　治風歷節四肢疼痛如槌鍛不可忍

附子　乾薑　芍藥　茯苓

甘艸　桂心各三兩　白朮四兩　人參三兩

每四錢水二盞煎七分食前服○一方去桂加用乾地黃二兩

七情　七情莰梲木香二陳湯談

食積　二陳烏梲治食傷蒼朮檗葳酒溼酣

酒溼　入門○治酒溼痛者

蒼朮三錢　陳皮　白芍各一錢　黃檗

葳靈仙各五分　甘艸三分　羌活二分

水煎服

瘀　瘀血溼痰投趕痛踈經活血最任探

方考○趕痛湯　瘀血溼痰畜于肢節之間而作痛者

此方主之

乳香　没藥　地龍酒炒　香附

桃仁　紅花　甘艸節　牛膝

當歸　羌活　五靈脂

李氏曰案此方乃丹溪心法趂痛散其爲末酒調服吳氏改作湯龔氏又去牛膝加地黃

考曰肢節之間筋骨之會空竅之所也故邪易居之是方也桃紅膝歸養血而活血也乳沒靈脂散鬱而定痛也羌活所以驅風香附所以理鬱乃地龍者溼土所化之物同類相從故能達溼邪結滯之區甘艸節者取其性平能和營衛而緩急痛之勢也

醫鑑

踈筋活血湯　雲林製　患遍身走痛如刺左足痛尤甚左屬血多因酒色所傷筋脉空虛被風寒溼熱感於內熱包於寒則痛傷經絡則夜重宜以踈筋活血行溼此非白虎歷節風

川芎六分　當歸一錢二分　芍藥二錢半　生地一錢半
羌活六分　茯苓七分　蒼朮一錢　桃仁一錢
牛膝二錢　防已六分　陳皮一錢　白芷六分

龍膽八分　葳靈仙一錢　防風六分　甘艸四分炙
有痰加南星半夏○上體及臂痛加桂枝○下
身并足疼加木瓜黃蘗○氣虛加人參白朮○
埜氏曰偏在上體者去半夏龍膽加黃芩桔梗
薄桂乃良

埜氏曰筋回春作經當從之羌防白芷疎經
絡四物桃仁活血滯朮苓入太陰經巳半入
少陰經龍靈入厥陰經乃左三經血分之藥
總能行逐熱而陳皮甘艸於血藥中和氣以
無代無過此雲林
之達於妙所也

血虛

血虛四物龜艽主
入門○四物湯加龜板秦艽主血虛者○有火者調
潛行散○有瘀血者加大黃桃仁紅花微利之
○性急發熱者加酒芩黃梔○肢節腫痛脉澁

者加桃仁○歷年不愈者倍加木通出汗或發
紅丹即愈

氣虛

氣弱四君加桂附芎湄

氣血俱虛投八物加羌防鼈龜板參五秦艽乃能蠲

壽世○補中益氣湯　風溼相搏一身盡痛加羌活防
風藁本蒼朮治之如病去勿再服以諸風藥損
人元氣而益其病故也

○十全大補湯　治勞倦遍身疼痛加半夏倍桂

○參五秦艽湯　治痛風腰背手足肢節疼痛乃
血虛氣弱經絡枯澀蹇滯而然也

當歸二錢　川芎　赤芍各七分　生地一錢
秦艽半錢　蒼朮一錢　羌活半錢　獨活

萆薢各一錢 五加皮二錢 狗脊 黄連各二錢
黄檗一錢 黄芩一錢半 紅花八分 黄芪二錢
人參二錢 牛膝一錢半 甘草三分 杜仲每一兩用小茴
一錢塩一錢水三鍾拌炒二錢

右剉桃枝七箇每長一寸半燈心七根水煎臨服入童便好酒各一盞空心溫服忌酒麪鯉魚溼熱羊鵞○如天將雨陰晦時日而預先覺痛甚者加防風天麻升麻○午後夜甚者血弱陰虚加升麻五分牡丹皮一錢○早上午前甚者氣滯陽弱加連翹沉香竹瀝乳汁○痛甚者倍羌活紅花芩連凉血則痛止○此症乃筋與骨症幼者乃外淫浸入太人及年近衰者不善養

加味二陳湯 治酒麵積熱作疼肘痛眼瞼及身痒 本方加蒼朮姜 小姜黃只殼朮姜

手臂

而得益筋屬肝血骨屬腎水內損所致耳

解表升麻湯 治痛風偏身疼痛 周蒿薈護銅一人赤

黃芩 升麻 姜 水煎

補遺方

正傳○丹溪方 手臂痛是上焦溼痰橫行經絡中作痛也

半夏 酒芩 白朮 南星

香附各一錢 陳皮 茯苓各五分 蒼朮一錢半

葳靈仙三錢 甘艸三分

生薑五片水二盞煎一盞食後服

中山氏曰靈仙羌活二朮逐風溼陳半南星除溼痰黃芩清痰熱香附順滯氣甘艸和逆氣

風溼

正傳○防風天麻散 治風溼麻痹肢節走注疼痛中

風偏枯或暴瘖不語内外風熱壅滯昏眩

防風　天麻　川芎　羌活

白芷　艸烏　白附　荆芥

當歸　甘艸各半兩　白滑石二兩

爲末每半錢加至一錢熱酒化蜜少許調下覺

藥力運行微麻爲度此藥散鬱開結宣風通氣

之妙劑也

手足

世壽○消風飲　手足不能屈伸遍身疼痛　臨川徐培鴻試驗

陳皮　白朮　當歸　白茯苓各一錢

玄胡　半夏　牛膝　川芎各八分

防巳　羌活　秦艽　獨活各六分

枳梗　防風各五分　木瓜四分　甘艸二分

生薑水煎不拘時服○氣虛加人參八分

產後 醫目○趂痛散 雲岐子方 治產後走動氣血升降失常留滯關節筋脉引急遍身疼痛甚則腰背不能俛仰手足不能屈伸兼治男子痛風

牛膝　當歸　官桂　白朮

黃芪　獨活　生薑各五分　韮白一錢二分半

水煎食遠服或加桑寄生尤妙

骨痛 醫林○羌活湯 治白虎歷節風毒注骨髓疼發不定

羌活二錢半　炮附子　秦艽　肉桂

木香　川芎　當歸　牛膝

桃仁　骨碎補　防風各一錢　甘草炙等分

薑五片水煎服

方考○丹溪主上中下通用痛風方

南星　黃蘗　蒼术各二兩　神麯

川芎各一兩　桃仁　白芷　龍膽

防已各五錢　羌活　威靈仙　桂各三錢

紅花一錢五分

此治痛風之套劑也。有溼、痰、死血而風寒襲之。風則善走，寒則善痛。所以痛者，溼痰死血留結而不通也。所以走痛者，風氣行天之象也。是方也，南星燥一身之痰，蒼术燥上下之溼，羌活去百節之風，而白芷則驅風之在面，威靈仙驅風之在手，桂枝驅風之在臂，防已驅溼之在股，川芎和血中之氣，桃紅活血中之瘀，龍膽去溼中

之熱乃神麯者隨諸藥而消陳腐之氣也然羌
芷葳桂親上藥也巳桃龍檗親下藥也二者並
用則上行者亦可以引之而下下行者亦可以
用之而上顧人用之何如耳

○桑枝煎　諸痛風者服此方良

桑枝一小升細切炒香以水三大升煎取二
升一日服盡無時

圖經云桑枝性平不冷不熱可以常服療中風
體癢乾燥脚氣及風氣四支拘攣上氣眼昏肺
氣嗽消食利小便久服輕身聰明耳目令人光
澤抱朴子仙經云一切仙藥不得桑枝煎不服
許學士云政和間予嘗病兩臂痛服諸藥不效

依此作數劑，臂痛尋愈。

前廉為陽明，白芷、升麻、葛根；後廉為太陽，羌活、防風；外廉為少陽，柴胡；內廉為厥陰，青皮、吳茱萸、川芎；內前廉為太陰，白芍、蒼朮。風勝者，自汗走注，脈浮弦，越婢加白朮湯：麻黃六兩、石膏八兩、生姜、甘草二兩、白朮四兩、棗十五枚。寒勝者無汗，攣急掣痛，脈沉濇，牛膝酒服。濕勝者，腫痛重著，脈濡細，除濕。暑勝者，煩渴，身熱，脈洪數，清暑益氣湯。

脚氣沖心，火氣逆上，丹溪以四物湯加炒柏，以附子末津調敷湧泉。無虛熱，金匱腎氣丸。

脾家濕熱，壅遏不通，面目手足作痛，導滯通經湯，即五苓散倍苓，再加木香，每服三錢，滾湯調下。沉香湯，治脚氣攻心，煩悶氣促，脚腫疼，水賓公翁錢五、桂一錢、杓戟、吳三分、姜。

治濕熱脚氣奇方：桂柏、餘檳公翁、蒼朮、已實、赤芫粉，候護水煎。痛加蜜，腫甚加腹皮，熱加軍。會一作苓。

脚氣

表	裡
脚氣檳蘓先發表 濟生○檳蘓湯　治一切脚氣散氣踈壅 蘓梗　香附　甘艸　陳皮 檳榔　木瓜　五加皮各七分 水盞半薑煎八分服○南豐李氏曰踈通氣道 劑○楚氏曰冬月加麻黄羌活三時加葛根升 麻防風	東垣導滯裡通和 正傳○羌活導滯湯東垣先生方　治脚氣初發一身盡 痛或肢節腫痛便溺阻隔先以此藥導之後用

當歸拈痛湯以徹其邪

羌活　獨活各一錢二分　防巳

當歸各七分　大黃二錢四分　枳實五分

水煎溫服

溼熱

當歸拈痛單三妙溼熱并來歷節痛

蘭室○拈痛湯　治溼熱為病肩背沉重肢節疼痛胸

鬲不利

白朮一錢半　人參　苦參　升麻

葛根　蒼朮各二錢　防風　知母

澤瀉　黃芩　豬苓　當歸各三錢

甘州　黃芩　茵陳　羌活各五錢

水煎食遠服○埜氏曰去參芪升葛加朮通防

風

巳牛膝靈仙治濕熱實症尤良

豐溪吳氏曰羌防升葛蒼朮皆辛散之劑也可以泄越壅塞之脚氣苦參芩茵知母皆苦寒之品也可以解除下焦之濕熱乃澤瀉苓朮淡滲物耶能導利下焦之濕當歸參艸者所以養血于敗壞之餘益氣于泄越之後也

正傳○三花神祐丸　治濕熱流注足膝浮腫肢節煩疼行歩重墜等証

敗毒加蒼風脚氣

三因○加味敗毒散　治三陽經脚氣流注脚跟上焮熱赤腫寒熱如瘧自汗惡風

依本方加蒼朮大黄各等分

每四錢水盞半薑三片煎七分熱服

○皮膚搔痒加蟬退○龔氏回春曰兩膝赤腫

強急作痛而熱兩總筋拘急此血熱也加赤芍
大黃

風溼局方七聖風溼科

局方○七聖散　治風溼流注經絡間肢節緩縱不隨
或脚膝疼痛
杜仲　續斷　萆薢　防風
獨活　酒牛膝　甘艸各等分
爲末每二錢溫酒下○陳氏三因方加木瓜萆
蠶白芍天麻葳靈仙黃芪當歸五靈脂烏藥狗
脊松節等名舒筋保安散

寒

感寒五積宜發表獨活寄生六物過

回春○五積散　脚氣屬虛寒溼者宜溫下元也

諸証辨疑方羌活續斷湯則寄生湯去寄生芎草用續斷白芷獨活代羌活

依本方加羌活獨活檳榔烏藥木香

活人○小續命湯　治脚氣屬冷者小續命湯煎成旋入生薑自然汁服之最快

局方○獨活寄生湯　治腎氣虛弱腰背疼痛此病因臥冷溼地當風所得不時速治流入脚膝為偏枯冷痹緩弱疼痛或腰痛脚重攣痹宜急服此

芍藥　當歸　川芎　地黃

人參　茯苓　甘草　桂心

細辛　杜仲　寄生　秦艽

牛膝　防風各二兩　獨活三兩

每四錢水一盞半煎七分空心服○肘後方有附子無寄生人參甘草當歸○陳氏三因方曰

古今錄驗用續斷即寄生亦名非正續斷也○龔氏回春曰一切寒溼虛冷脚氣腫痛焦枯經年臥床不能動履者本方各等分入好酒煮熟飲之效

崑溪吳氏曰腎水藏也虛則肝脾之氣湊之故令腰膝實而作痛屈伸不便者筋骨俱病也靈樞經云能屈而不能伸者病在筋能伸而不能屈者病在骨故知屈伸不便為筋骨俱病也冷痺者陰邪實也無力者氣血虛也是方也獨寄辛艽防桂辛溫之品也可以升肝脾之氣肝脾之氣升則腰膝弗痛矣歸地芍芎杜膝者養陰之品也可以滋補肝腎之陰肝腎之陰補則足得血而能步矣參苓甘艸者益氣之品也可以長養諸藏之陽諸藏之陽生則冷痺去而有力矣

三因○六物附子湯　治四氣流注於足太陰經骨節煩疼四肢拘急自汗短氣小便不利惡風怯寒

頭面手足時時浮腫

附子　桂心各四兩　白朮　茯苓各三兩

甘艸炙二兩　防巳四兩

每服四錢水二盞薑七片煎七分溫服

蕫豐溪吳氏曰寒溼脚氣疼痛不仁兩尺脉來沉細者此方主之內經云寒氣勝者爲痛溼氣勝者爲著痺今疼痛不仁是寒而且著痺也兩尺主兩足脉來沉者爲裡遲者爲寒是寒也用桂心附子溫其寒防巳白朮制其溼甘艸茯苓脾家藥也扶土氣之不足制溼氣之有餘然必冷服者欲附子桂之性行于下而不欲其橫于上也

七氣鬱攻杉節飲

正傳○杉木節飲　治脚氣發作惡寒發熱兩足腫大心煩體痛乖欬者

杉節四双　檳榔七枚　大腹皮　青橘葉四十片

順流水煎服○埜氏曰此方合桋蘓散治脚氣不腫而痛者氣也

豊漢吳氏曰杉節質重而氣芳質重則能達下氣芳則能疏壅橘葉味苦而厚過於青皮桋柳質實而重等於鐵石味厚則泄質重則降故能令邪氣大下○埜氏曰案本艸杉節辛溫去惡氣治風毒上氣消腫蔕桋柳苦以破滯辛以散邪能下腫除煩大腹皮辛溫以降逆氣消浮腫主冷熱氣橘葉苦平導胸鬲氣消腫行經順流水能下行治足疾如此則脚氣之因七情而作腫作痛作寒熱心煩者何不愈之有也

瘀食

復元通氣瘀尤多方見氣門

食傷行氣香蘓散加神麯蒼朮桋柳防己膏味動火乘肝腎搜風順氣丸或三妙丸瘥

入門○搜風順氣丸 治腸胃積熱二便燥澀腸風痔漏腰膝酸疼肢節頑麻手足癱瘓言語蹇澁

車前子　郁李仁　白檳榔　火麻仁
兎絲子　牛膝　山藥　山茱各二兩
枳殼　防風　獨活各一兩　酒大黃五兩
爲末蜜丸梧子大每二十丸早晨臨臥茶酒米
飲任下

肝腎虛

肝腎虛傷丸腎氣仲陽仲景擇如何
回春○六味丸　主肝腎虛損足無力者
依本方加牛膝杜仲木瓜蒼朮酒蘗
三因○八味丸　治少陰腎經脚氣入腹小腹不仁上
氣喘急嘔吐自汗此症最急以腎乘心水剋火
死不旋踵方見後　○龔氏壽世曰脚弱加續斷萆
解老人加牛膝鹿茸○鶴膝風加牛膝人參鹿

茸

時壽世 ○四物湯加麥門五味玄參　治兩足發熱或脚跟作痛

脾虛

脾虛益氣宜加味或用升陽順氣案

○補中益氣湯　治兩膝腫痛脚脛枯細者名鶴膝風也或痢後不謹感冒寒濕或涉水履霜以致兩足痛痺如刀剔虎咬之狀膝臏腫大不能行動

依本方去升柴加附子牛膝杜仲防風羌活川芎芍藥地黃萆薢防已薑棗水煎服

方考 ○升陽順氣湯　脾胃虛弱胃氣下注令人足蹠氣腫者主之　方見勞倦門

冲心

考曰脾雖具坤静之徳而有乾健之運故脾氣冲和則升清降濁無脚腫也脾氣一虚土不制水則胃中水穀之氣下注隨經而下入合入脚腫是以方也半夏甘艸所以益脾人參黄耆所以益氣神麯豆蔻所以消磨水穀升麻柴胡所以升舉胃氣當歸能使諸藥歸脾陳皮能利中宮之氣而檗皮者取其味厚能引升麻柴胡下走足脚而升舉其陷下之陽爾

脚氣冲心蘓子降氣湯檗皮四物湯治火升攻以降之再以附子末津調塗湧泉穴引熱下行喘粗入腹茱萸木

〔三因〕〇茱萸丸　治脚氣入腹腹脹不仁喘悶欲死

呉茱萸　木瓜

右等分為末酒糊丸梧子大毎五十丸至百丸酒飲任下

煩腹脹松節湯有功

〔入門〕〇松節湯　治脚氣入腹心腹脹急煩躁腫痛

松節炒黃 桑白皮 藕葉各一兩 檳榔三分

甘草五錢

每三錢入燈心二十根生薑三片童便三分煎服

入腹青龍宜小劑入肝烏藥平氣通

三因○烏藥平氣湯 治脚氣上攻喘滿頭暈

烏藥 人參 白朮 川芎

當歸 茯神 甘草 白芷

木瓜 五味子 紫蘇各等分

每四錢水一盞半薑五片棗兩枚煎七分溫服

入心八味丸堪救牛膝散兮入腎癯

要略○崔氏八味丸 治脚氣上入少腹不仁

跟痛

地黃八兩　山茱萸　山藥各四兩　澤瀉

茯苓　牡丹皮各三兩　桂

附子各一兩

鶴溪陳氏曰如少陰腎氣入心乃水尅火也急

八味丸救之

入門
○牛膝散　治脚氣入腎腰脚腫小便不利目

額皆黑左尺絕者必死

牛膝　羚羊角　檳榔　芒硝

大黃各一錢　防已　牡丹皮　肉桂

甘草　赤芍各五分

水煎溫服

跟痛蘗知牛膝四物有痰五積木瓜求

回春○四物湯加知蘗牛膝　主脚跟痛因血熱者　出丹

溪心法論○五積散加木瓜　主有痰唾者

轉筋

轉筋四物芩紅入厚味南星蒼朮投

正傳○四物湯加黃芩紅花　主轉筋屬血熱者○有筋動於足大指上至大腿近腰結了者此奉養厚因風寒而作又當加蒼朮南星

回春○治轉筋　出虞王氏及孫用和方

用松油節剉醞酒煎服一方加乳香少許

補遺方

補過

三因○木通散　治脚氣服補藥太過小便不通淋閉臍下脹

當歸　山梔　赤芍　茯苓

生甘各一

爲散每三錢水一盞煎七分去滓服

三陰正虚風傳○局方換腿丸治足三陰經爲四氣所乘發爲

攣痺緩縱上攻胸脇肩背下注脚膝疼痛足心

發熱行步艱難

薏苡仁　南星　石楠葉　石斛

檳榔　萆解　牛膝　羌活

防風　木瓜各四　黄芪　歸尾

天麻　續斷各一

細末酒糊丸梧子大每服五十丸鹽湯下○龔

氏醫鑑加桂附蒼术倍木瓜

回春○二十四味飛步散　治下元虛損脚膝酸軟疼痛併寒溼風氣麻木不仁及打傷趺損行步艱

當歸　白芷　赤芍　牛膝

杜仲　木瓜　茯苓　骨碎補

烏藥　何首烏　續斷　破故紙

小茴香　獨活　桑寄生　蒼朮

五加皮　陳皮　防風　天麻各一及

川芎　檳榔　半夏各五錢　甘艸三錢

生薑三片水煎熟入酒一半空心服

○洗足湯

川椒一兩　獨活　羌活　木瓜各五錢

白芷三錢　荊芥穗一兩

止痛

治脚腫

右剉用水一壺煎至半壺於避風處温浴洗後拭乾仍用花椒炒熱絹包熨患處或炒鹽亦可熨之

壽世○治脚氣止痛奇方

乳香　没藥　天麻　白付子

殭蠶

各等分爲末每服五分空心酒調服

○治脚氣浮腫

牛膝一錢半　威靈仙一錢　蒼朮一錢半　防已一錢

五加皮一錢　獨活一錢半　當歸一錢

黄蘗一錢半

生薑煎熱入酒一杯同服

補虛

○經進地仙丹　治腎氣衰敗精神耗散風溼流注脚膝酸疼行步艱辛飲食無味耳焦眼昏皮膚枯燥婦人藏冷無子下部穢惡腸風痔漏吐血瀉血諸風諸氣並皆治之　西園公屢驗

黄芪半一兩　人參一兩　白朮二兩　白苓一兩

何首烏三兩　炮川烏一兩

炮附子四兩　白附子二兩

牛膝四兩　肉蓯蓉四兩　川椒四兩

覆盆子　兎絲子　萆解　骨碎補

烏藥　炮星　防風　羌活

木鼈子　狗脊　赤小豆各二兩

地龍三兩　甘艸一兩

溼

爲末酒煮麪糊丸梧子大每服三四十丸空心溫酒送下

正傳○加味二妙丸　治兩足溼痺疼痛或如火燎從足跗熱起漸至腰胯或麻痺痿軟皆是溼爲病此藥主之

蒼朮四兩　黃蘗二兩　牛膝一兩　歸尾一兩
萆解一兩　防已一兩　龜板一兩

爲末酒煮麪糊丸梧子大每一百丸空心薑鹽湯下

纂要○防已飲

黃蘗　蒼朮　白朮　防已
生地　黃連　梹榔　川芎

犀角　甘艸節　木通

水煎服○有熱加黄芩熱甚及天令熱加石膏○痰加竹瀝薑汁或南星○便祕加桃仁○小便澁加牛膝

豊溪吳氏曰脚氣憎寒壯熱者此方主之木通防已檳榔通劑也可以去塞犀藥生地甘艸寒劑也可以去熱二朮燥劑也可以去溼然川芎能散血中之氣犀角能利氣中之血先痛而後腫者氣傷血也重用川芎先腫而後痛者血傷氣也重用犀角

○勝駿丸　治寒溼氣襲脚腰攣拳或運足指走痛無定筋脉不伸行履不隨

附子一箇　當歸　天麻　牛膝各二兩

木香　羌活　全蝎　没藥

甘艸各一兩　酸棗仁　熟地黄　防風各三兩

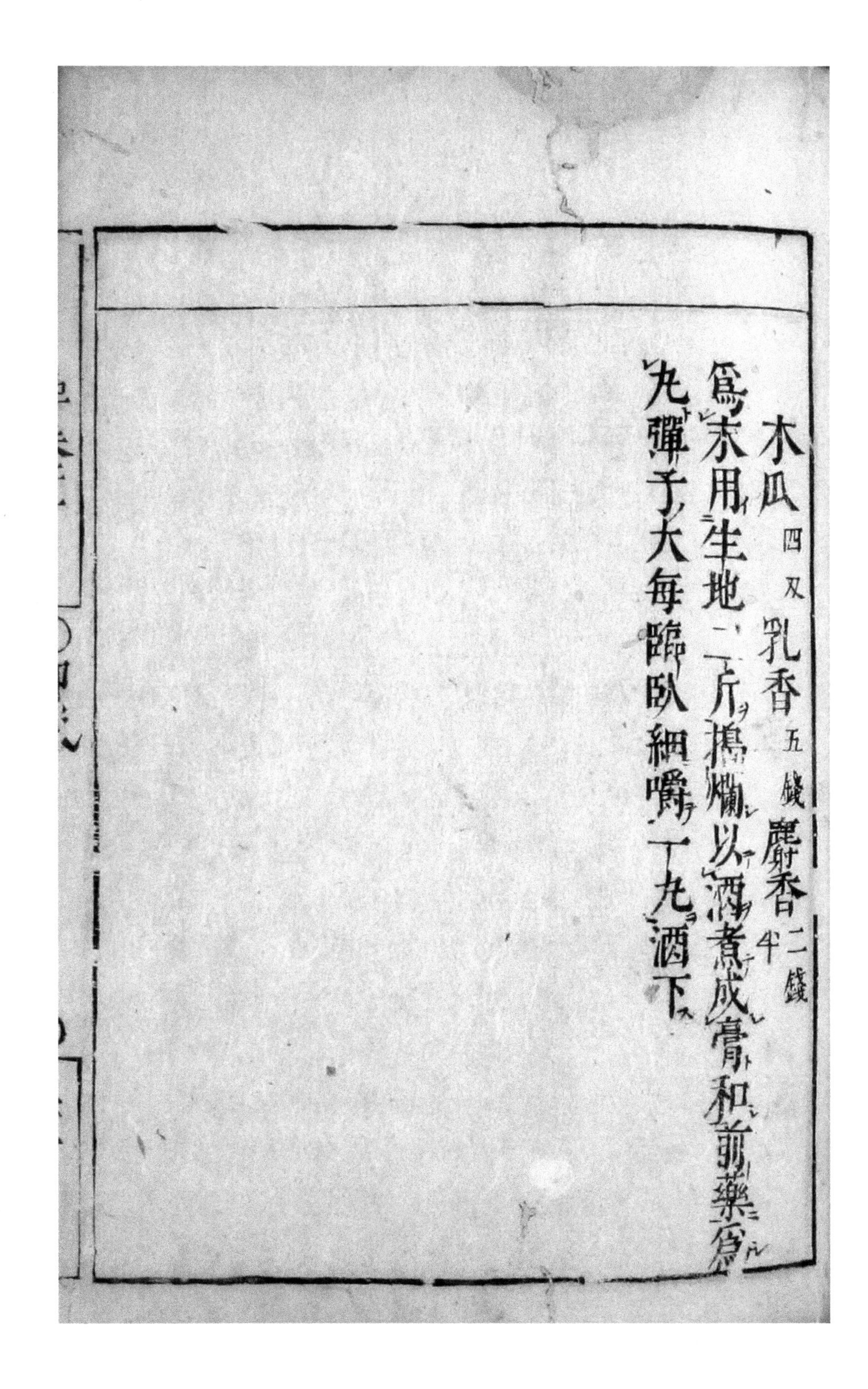

木瓜四両　乳香五錢　麝香二錢半

爲末用生地二斤擣爛以酒煮成膏和前藥爲

丸彈子大每臨臥細嚼一丸酒下

鶴膝風

初起　腳風鶴膝先葱熨　初起以此法內消之

寒熱　五積交加　散加烏藥薑蠶　見熱寒

已潰　獨活寄生　湯　治已潰大防風　湯　劑亦能安

陽虛　陽虛大補　湯　收全效　或大防風湯八味丸　當歸補

血　湯可　完　愈

陰虛　腎氣　丸方　陰虛形瘦　發熱　主　之挾濕熱者二妙蒼　蘗散

中虛　補中益氣　湯加五味子方　胃虛　津乾　冠　食少面黃　六君子湯

肉不生　膿清肌肉難生者八物湯方最可歡

婦人　經水不調成　發熱　口渴　逍遙散劑蘗牛　膝杜仲加

纂之

入門○葱熨法　治流注結核骨疽鶴膝等症先用隔蒜灸餘腫尚存用此熨之以助氣血行壅滯其功甚大又跌撲損傷止痛消腫散血之良劑也

生葱搗爛炒熱頻熨患處至冷再換

○二妙蒼蘗散　治一切風寒濕熱脚氣骨間作熱或腰膝臀髀腫痛令人痿躄用之神効

蒼术 塩炒　黄蘗 酒炙 各五錢

水煎服二物皆有雄壯之氣如氣實加酒少許氣虛加補氣藥血虛加補血藥痛甚加薑汁或爲末爲丸服尤妙　○豊溪吳氏曰蒼术妙于燥濕黄柏妙于去熱故濕熱作痛不拘上下此方用之毎良

手足痿軟而無力百節緩縱而不收謂之曰痿　藿香養胃湯　治胃虛不足筋無所養
而成痿者
藿香　白朮　人參　茯
苓　苡仁　半夏　神
曲　烏藥　縮砂　蘿各錢
草　澄茄　茸　各錢
片　棗二枚

痿躄

痿躄血虛宜四物藤蓉生脉補陰加

血虛

入門○四物湯　主血虛者

依本方合生脉散加蒼朮黃檗牛膝下補陰

丸

瘀

桃紅四物湯　治因瘀或加參朮黃栢

氣虛

蒼檗四君子湯加苓味氣弱誇

溼熱

清燥湯方攘溼熱二陳苓檗痰火于

東垣○清燥湯　治六七月間溼令大行子能令母實

而熱旺溼熱相合而刑庚大腸故寒涼以救之

燥金受溼熱之邪絕寒水生化之源源絕則腎

屬濕挾者羌活防風柴胡川烏艹烏滑石防已沢瀉苦参肉桂花粉茯苓蒼朮黄柏

厥痿躄之病大作腰下痿軟癱瘓不能動履

黄芪一錢半　蒼朮一錢　白朮　陳皮
澤瀉五分各　人參　茯苓　升麻各三分
麥門冬　當歸　生地　神麴
猪苓各二分　蘗皮　柴胡　黄連各一分
五味子九箇　甘艸二分

水煎空心服

李氏曰地麥蘗朮寒涼之品也以益水而御金鬱參芪歸艸甘温之品也以補土而全母氣二朮神麴之苦燥澤猪茯苓之淡滲以滲亟而抑肝令黃連之苦寒以瀉熱而鎮火刑升柴引升清氣而以勝其濁氣乃陳皮所以行諸補藥之滯也水盛而熱乃清土燥而濕乃除濕熱既去而痿躄之病斯愈矣

痰火

○二陳湯加二朮芩蘗竹瀝薑汁　主痰火起於

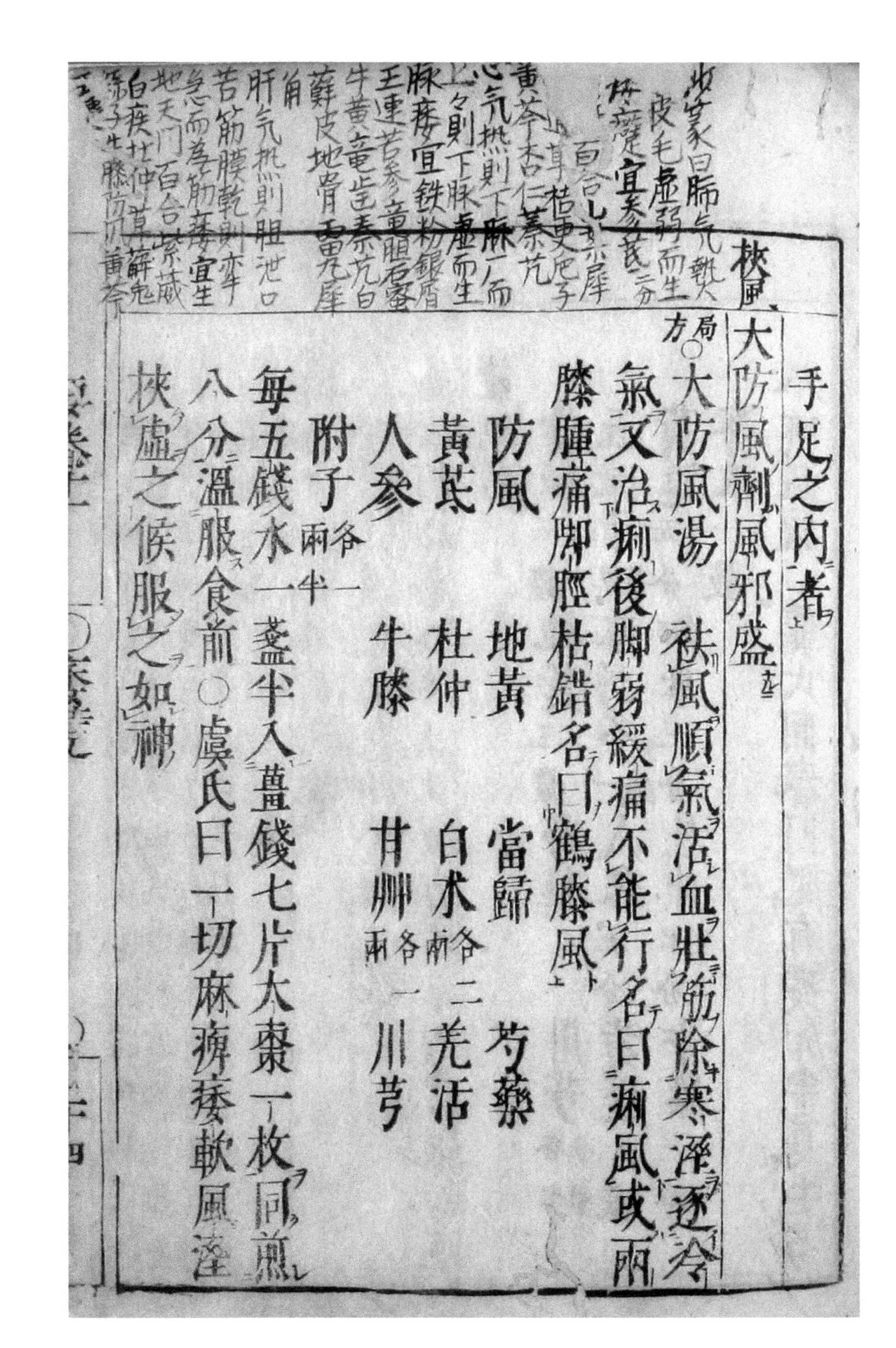

手足之内者

大防風劑風邪盛

局方○大防風湯　袪風順氣活血壯筋除寒濕逐冷氣又治痢後脚弱緩痛不能行名曰痢風或兩膝腫痛脚脛枯錯名曰鶴膝風

防風　地黄　當歸　芍藥
黄芪　杜仲　白术各二兩　羌活
人參　牛膝　甘艸各一兩　川芎
附子各一兩半

每五錢水一盞半入薑錢七片大棗一枚同煎八分溫服食前○虞氏曰一切麻痹痿軟風濕挾虛之候服之如神

脾気熱則胃乾而渴肉不仁発為肉痿 傳 正○
宜二陳二朮人参黃芪
大茯苓升
[illegible]熱則腰背
[illegible]骨枯髓減為
[illegible]痿 宜金剛丸

挾寒

虛熱

虞氏曰案此方用四物以補血用參芪朮㮇以補氣用羌防散風溼以利關節用牛膝杜仲以補腰膝用附子以行參芪之氣而走周身脉絡益作氣血兩虛挾風溼而成痿躄不能行者之聖藥也

五積散合寄生湯主挾寒

虛熱丹溪授四物味連知蘗朮冬纂

加味四物湯丹溪先生方治諸痿四支軟弱不能舉動

當歸一錢　地黃三錢　芍藥　川芎各七分半
五味子九箇　麥門冬一錢　人參五分　黃蘗一錢
黃連五分　知母三分　杜仲七分　牛膝三分
蒼朮一錢

水煎溫服○龔氏回春曰肥有痰加半夏去芍

瘦血虛倍歸地○醫鑒加薏以防風羌活甘艸專治血氣兩虛雙足痿軟不能行動○筋骨痿軟加桂枝陳皮

虛寒

虛寒。太補湯加附子牛膝杜仲 八味丸方亦可觀方考○八味丸 入房太甚宗筋縱弛發爲陰痿者此方主之凡人入房甚而不已者水衰而火獨治也陰事衰痿不舉者水衰而火亦敗也是方也附桂味厚而辛熱味厚則能入陰辛熱則能益火故能入少陰而益命門之火熟地山萸味厚而質潤味厚則能養陰質潤則能壯水故能滋少陰而壯坎中之水火欲實則澤瀉丹皮之鹹酸可以引而瀉之水欲實則山藥茯苓之甘淡

过使人四肢不挙兼気ノ下之胃不及亦四肢不挙四君子ノ加斤痿発夏月俗名注夏当清暑益気湯[illegible]而痿ノ応用虎潜丸附子治痿ノ加神人参一両浸酒服之治脚膝痿弱可逐奔馬故曰奔馬[illegible]

可以滲而制之水火得其養則腎宮不弱命門不敗而作強之官得其職矣

補遺方

○肺熱湯　肺鳴葉焦色白毛敗發爲痿躄脉來短數者主之

羚羊角　玄參　射干　薄荷

芍藥　升麻　檗皮各三錢　生地一合

梔仁四錢　竹茹二錢

考曰羚羊玄參射干涼膈之品也肺居膈上故能清肺熱薄荷升麻者辛涼之品也金鬱則泄之故用之以解鬱熱檗皮能益腎水腎水益則

牛膝丸　治腎肝虛弱痿筋弱
牛膝　萆薢　杜仲　白蒺　防风　蓯蓉　子肉　天广　鹿茸　木瓜　五味子　熟　蜜丸

子可以救母生地能涼心血心君涼則火不乘金梔茹能泄肝腎中相火相火熄則肺金可清芍藥味酸和肝之品也肝和則不至侮肺侮肺者謂金本以制木今肺金自病肝木乘其虛而輕侮之臣強之象勢使然也

脉痿○三補丸　心氣熱下脉厥而上色赤絡脉滿溢樞紐折挈脛縱而不任地者名曰脉痿王之黃連瀉心火黃蘗瀉相火黃芩瀉五藏之遊火火去則脉不厥逆各循其經而手足用矣

筋痿○龍膽瀉肝湯

柴胡一錢　人參　知母　麥門
天門　艸龍膽　山梔　生甘艸

煨腎丸 治肝腎虛傷宜緩中消瓦益精
牛膝萆薢杜仲白蒺藜防風兔絲肉蓯蓉葫蘆巴補骨脂豬腰肉桂

金剛丸 治腎虛精骨痿
萆薢杜仲肉蓯蓉兔絲子等分為末酒煮猪腰子和丸

黃連各五分 黃芩七分五味子七粒

肝氣熱色青爪枯口苦筋膜乾而攣急者名曰筋痿主之芩連梔膽皆足以瀉肝火君之以柴胡則能條達乎肝膽矣木盛兼燥金之化故攣急天麥知味味厚而潤者也故足以養筋而潤燥若甘草人參者所以養乎陽氣也經云陽氣者精則養神柔則養筋故用之

骨痿 ○六味丸加知蘗方　腎氣熱則腰脊不舉骨枯而髓減發爲骨痿主之地萸味厚而能生陰知蘗苦寒而能瀉火澤牡能去坎中之熱茯藥能制腎間之邪王冰云壯水之主以制陽光此方有之矣

厥證

寒暑陽陰

厥症有寒投四逆湯或理中湯

暑令白虎與香薷散加羌活

屬陽承氣湯大柴胡湯劑

陰厥理中湯附子六物需

考方○附子六物湯

附子　肉桂　防已各四兩　炙甘二錢

白朮　茯苓各三錢

陽氣衰於下令人寒厥從五指至膝上寒者主之進退消長者陰陽之理也故陽氣衰之者陰必湊之附子肉桂辛熱之品也故用之以壯元

陽而防已甘艸朮苓甘溫燥滲之品也可佐之以平陰翳

熱

虛熱宜升陽散火

正傳○升陽散火湯　熱厥四支煩熱蓋逕熱鬱于脾土之中主之

方考○太補丸

黃蘗一物炒褐色爲末作丸

陰氣衰于下令人足下熱甚熱氣循陰股而上者名曰熱厥主之○陽消則陰長陰退則陽進故陰氣衰于下則陽往湊之黃蘗味苦而厚爲陰中之陰故能補陰氣之不足瀉熱氣之有餘王冰云壯水之主以制陽光此方之謂也

虛冷　虛冷大補十全湯　或加附子

血虛　血虛四物湯加知蘗

氣虛　氣弱四君乃可須　虛寒加附子

勞役　勞役六君　加竹瀝芩連薑汁　單益氣湯

痰火　二陳加味痰火驅

丹溪○二陳湯加芩連山梔　飲酒人或體肥盛人手足熱者青瀝痰鬱火盛也主之○心法曰因痰者用白朮竹瀝

七情　七情八順能疎氣水氣茯苓甘艸呼

方考○八味順氣散　七氣怫鬱令人手足厥冷者主之○氣者人身之陽也一有怫鬱則陽氣不能四達故令手足厥冷是方也芷烏青陳開鬱順

水氣

氣之品也可以宣發諸陽參朮苓艸補中益氣之品也可以調其不足經云邪之所湊其氣必虛是故用夫補爾

活人○茯苓甘艸湯　治陽厥悸手足厥逆心下有水氣

茯苓　桂枝各二錢　甘艸一錢　生薑三兩

水煎溫服

大陽病其證備身体強几々然脉反沉遲此為痓栝樓桂支湯主之　栝蔞根二两　枝三两　餘同耳三两　姜三两　棗十二枚　右六味以水九升煮取三升分溫三服取微汗々不出食頃啜熱粥發之　大陽病無汗而小便反少氣上衝胷口噤不得語欲作剛痓葛根湯主之　胸滿口噤臥不著席脚攣急必齘齒可與大承氣湯

或傳云婦人半產後急此證者可用大承氣湯是則不拘病因治其急者也

痓痙

太陽　剛痓葛根湯加防風二活　陶氏用羌活芎和湯

桂枝湯加天花粉葛根方　痓柔良　陶氏用加減芎和湯

通用小續命分剛柔治之有熱去附子自汗去麻黃

少陽　半表小柴胡湯加防風方　療少陽

裡症　裡症便堅承氣湯大或大柴胡湯

要略○大承氣湯　痓為病胸滿口噤臥不著床脚攣急必齘齒可與之

汗過　防歸發汗過多量

正傳○金匱防風當歸散　治發汗過多發熱頭搖口噤背反張者宜去風養血

防風　當歸　川芎　生地黄各二錢

水煎服○楚氏曰合桂枝湯加白术黄芪尤良

效

風痰　導痰湯劑風痰袪甚者三生飲痰火瓜蔞枳實湯

痰火　去木香縮砂加麥冬人參紫蘇子

火盛　火盛主芩連四物湯加知蘗合二陳湯童便竹瀝

鬱悶　八味烏藥順氣散七情妨

氣虛　氣虛益氣加薑汁竹瀝或六君子湯加芪附茈胡

血虛　四物防羌血弱望或大秦艽湯十全大補湯

回春○參歸養榮湯治一切產病隨症加減

人參　當歸　川芎　白芍

地黄　白术　茯苓　陳皮各等分

甘艸減半

薑棗水煎溫服○剛痓身熱面赤脉緊加羌防柴芩乾葛去朮○身熱煩渴脉數加麥冬知母柴芩葛粉去芎朮○身熱飽悶氣急生痰加蘇子瓜蔞枳實桔梗柴芩竹瀝薑汁去參朮地芎○柔痓身不熱手足冷脉沉細加熟附子羌活○汗多加芩去芎○風痰痓加羌防瓜蔞枳梗片芩瀝汁去參朮地黃○破傷風痓加殭蠶全蝎防風羌活南星瓜蔞枳梗片芩瀝汁去參朮地黃○汗吐瀉多發痓者倍參芪歸地荊芥羌活白朮

濟世○十全太補湯　痓因去血過多筋無所養故傷

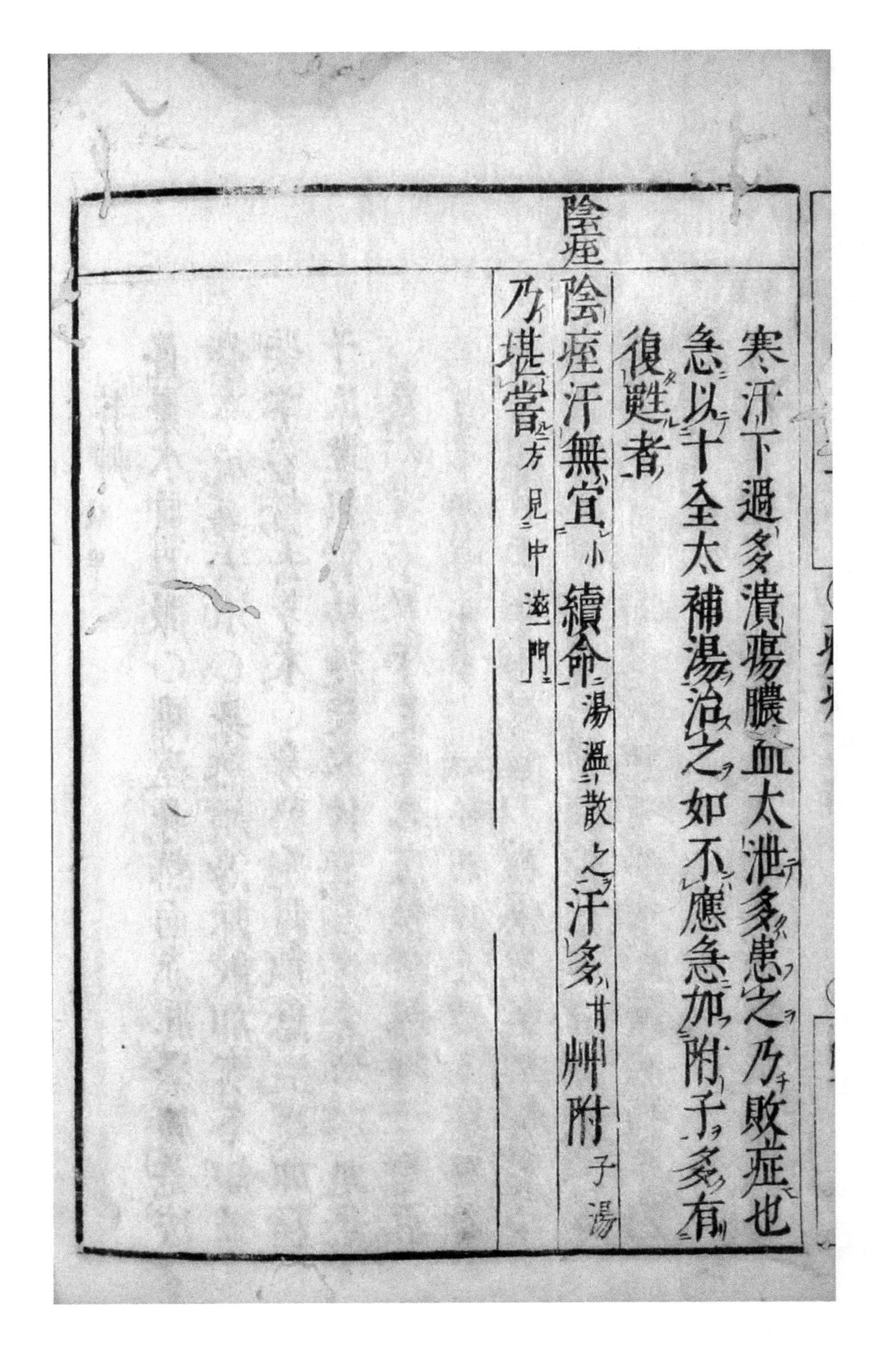

寒汗下過多潰瘍膿血太泄多患之乃敗症也急以十全太補湯治之如不應急加附子多有復甦者

陰痓

陰痓汗無宜小續命湯溫散之汗多甘艸附子湯乃堪嘗方見中溼門

主方歌括

夫欲用方者擇主方要方主方三十六要方一百

行風寒分輕重重者桂枝湯芍卌薑棗五味麻黃湯桂枝卌杏四味

輕時八解散六君藿朴八味香薷散陳皮甘卌共四味尤為良四方

香薷散加芎芷名芎芷香薷散治頭痛出醫書

大全○加檳榔木瓜名檳薷散治脚氣疎通氣

道出濟生方○加烏藥乾薑名正氣天香湯治

諸氣出醫方集成

看榮衛共用治太陽陽明升麻葛根湯芍卌四味白虎湯石

膏知母卌粳四味經府宗小陽小柴胡湯芩參卌半薑棗七味主裡症

升麻葛根湯加參芷桂芷防風葱白名秦艽升

麻黄湯治中風陽明經症出羅氏寶鑑○白虎湯加竹葉半夏人參麥門去知母名竹葉石膏湯解煩湯出金匱方○小柴胡湯合五苓散名柴苓湯分利陰陽出丹溪活套○加青皮朴朮苓菓去參棗名清脾湯治瘧疾多出濟生方

承氣湯有大（承氣枳朴硝黄四味）小（承氣枳朴大黄三味）調胃（承氣硝黄甘草三味）帶表大柴（胡湯芩芍半枳大黄薑棗八味）量（陽明裡三陰裡俱同法故總曰裡症）

小承氣湯加梹榔甘草名枳實大黄湯治傷食腹脹出龔氏回春○加羌活名三化湯治中風便祕出机要方○大承氣湯加甘草名三乙承氣湯治裡熱出直格方○加柴芩芍草名六乙順氣湯治裡症出陶氏槌車方

吐劑梔(豉湯二味)瓜(蒂散赤豆豆豉)有二苓(豬苓湯五苓散也)俱滲方

已上風寒劑六經陽症詳陰症中寒者太陰理中(湯參朮薑艸四味)央建中(湯桂芍艸飴薑棗六味)輕重別少陰四逆(湯附薑艸三味)當厥陰參萸(湯薑棗共四味)妙三陰已平康正氣

理中湯加青皮陳皮名治中湯治脾胃冷症出惠民局方○小建中湯加黃芪名黃芪建中湯治虛勞出金匱方○理中湯加陳皮茯苓名補中湯治寒泄出惠民局方

衍行者不換金正(氣散平胃半藿六味)方攘山嵐瘴氣太無神朮(散平胃蒼藿六味)芳暑邪香薷(散扁朴三味)生脈(散參味冬三味)

正氣散加朮苓名除溼湯治寒溼出王氏準繩

○加砂仁香附名加減正氣散治不服冰土出

龔氏回春○香薷散合四君加茋瓜名十味香
薷散治伏暑體倦出百乙選方○合升麻葛根
湯名香葛湯治暑挾風寒出醫學入門○合藿
香正氣散名薷藿湯治暑挾內傷出醫學入門
○加藕葉木香合平胃名二香散治暑月外感
出古今醫鑒○加白茯甘艸名五物香薷飲治
中暑出古今醫統○生脉散加當歸生地黃茋
名生脉散治咳嗽肺虛出醫學入門

防淡光五苓散二苓桂术澤五味主滲溼黃連解毒湯苓檗山梔四味
解火狂外感風寒溼暑火六氣壞法已畢又重言內傷氣血痰鬱
五苓散去肉桂名四苓散治膀胱熱淋出丹溪
方○合小柴胡湯名柴苓湯○加平胃香砂川

芎名滲溼湯治袪溼出萬病回春
內傷勞倦者益氣湯（參芪朮艸歸陳升柴八味）尤可嘗食傷主
平胃散（蒼朴陳艸四味）加減治理長氣虛四君子湯（參朮苓艸四
味）氣實用天香湯（烏陳香蘇薑艸六味）血虛宜四物湯（歸芎芍黃四
味）君請不可怠血實犀角地黃湯（芍牡丹四味）重時桃仁
益氣湯加生地芎芷羌防去升麻名調榮養衛
湯治勞力傷寒出陶氏槌車方○平胃散合五
苓散名胃苓湯○加藿香半夏名正氣散治不
正氣出和劑方○加藿香石菖名神朮散治山
嵐瘴氣出羅太無方○加桑白皮名對金飲子
治溼症出玉機微義○加艸果又名對金飲子
治瘧疾出李氏入門○四君子湯加半夏陳皮

名六君子湯○六君子湯加藿朴名八解散治
感冒出和劑局方○四君子湯加白芷青皮陳
皮烏藥名八味順氣散治中風蹶氣出嚴氏方
○加藿陳麯砂名比和飲出醫學正傳治虛嘔
吐○四物湯合參蘇飲名茯苓補心湯出三因
方○合黃芪建中湯名雙和散出惠民局方○
合黃連解毒湯去芎芍梔加生地黃芪名當歸
六黃湯出蘭室祕藏治盜汗

承氣湯桂艸硝黃五味盪氣血兩虛者八物湯四君四物合八味十全
太補湯八物桂芪十味望溼痰二陳湯陳半苓艸四味用燥痰調中
湯貝母瓜蔞半夏黃連四味鄉六鬱煎越麯丸芎梔蒼朮香附神麯以上五味
八物湯合二陳加羌防名愈風湯出萬病回春

中風調理之劑○加茯神山梔黃連麥門酸棗
名四物安神湯出萬病回春調理心血之劑○
桃仁承氣湯加當歸紅花枳朴酒名加味承氣
湯下瘀血之劑○二陳湯加南星枳實名導痰
湯出陳氏良方治風痰之劑○加芩連名芩連
二陳湯出李氏入門治熱痰之劑○合四君子
湯名六君子湯○合八物湯名二陳八物湯

增藏在佐臣前件三十六萬病爲祖方

埜氏曰主方者藥味少而易記故不括方味而
括治症也要方者藥味多而難諳故括方味而
兼言治症此所以分主方要方也

要方歌括

埜氏曰案病之所以來不過乎三因則風寒暑溼燥火爲外因勞倦氣血痰鬱爲内因飲食傷爲不内外因而其病或在表或在裡或在半表半裡或在上或在下或邪甚而膠固或虚極而軟滑或寒積而作疝瘕或溼熱而生蟲蛔也其爲因之不過於如此則取其方亦有多哉乃不外乎汗吐下和正溫凉滲潤補消順活豁散寒殺升降軟收之二十一劑耳故取其急務之方分類而韻括之凡爲醫者能辨知此二十一法則千方萬劑盡臻乎手矣不亦要哉然淺究

之則本艸十劑亦約爲曰宣者吐升散是也曰通者順活消和正也曰補者補溫是也曰瀉者下涼寒殺是也曰輕者汗曰重者降曰滑者軟豁曰澁者收曰燥者滲曰溼者潤皆是也其推廣之而已

○發表劑

埜氏曰汗劑之重者麻黃桂枝葛根青龍是也汗劑之輕者香蘇八解升麻葛根是也

重

十神湯芎芷升麻葛香附紫蘇艸陳皮麻黃赤芍

傷寒疫冬月太陽解表肌

小續命湯防已桂杏芩芍艸蔘芎䓖麻黃附子防

輯

風入太陽中風發表功
行氣香蘇散烏藥梡柴芎蒼朮陳皮羌麻黄甘艸
薑葱用外感七情挾食傷
定喘湯麻桑杏蘇子白果欵冬艸黄芩半夏水煎
尤妙劑急喘風寒犯肺金
沉香天麻湯歸艸夏川烏附子益智羗防風二活
薑蠶白冷癇驚搐截風方
參蘇飲內陳皮梗半夏前胡葛茯苓甘艸木香枳
殼合痰粘欬嗽可康寧
十味芎蘇散甘艸梗陳皮枳殼與柴胡葛根半夏
并白茯肌熱氣洶最可需
人參敗毒散桔梗白茯艸芎二活行枳梡前胡莚

甘草瘟毒身痛熱可涼

神术散用五兩蒼芎芷細辛藁本羌甘草六件各

一兩風寒挾溼總相當

九味羌活湯防風細辛生地蒼术芎芷芩甘草薑

葱棗三時風寒解表功無汗君羌蒼有汗君防术

冲和兩劑出陶公

瑣言○羌活冲和湯　治傷寒無汗脉浮緊

羌活　蒼术各一錢半　防風　黃芩

川芎　白芷　生地　甘草各一錢

細辛五分

水煎熱服取汗

○防風冲和湯　治傷風有汗脉浮緩

防風　白术　生地各一錢半　羌活

黄芩　白芷　甘艸各一錢　川芎五分

水煎溫服○龔氏回春加黄芪細辛名加減冲和湯

萬氏曰經云太陽病發熱而渴不惡寒者溫病也是知發熱惡寒者爲傷寒不惡寒者爲溫病其症固不同矣或不論症泥于春夏不得服麻黄之説而以羌活冲和湯代之殊不知麻黄桂枝二湯乃太陽經表藥也今九味羌活湯羌活防風誠太陽經藥也如蒼术除足太陽之溼川芎治足厥陰之頭疼細辛治足少陰之頭痛白芷治足陽明經之頭痛生地黄治手少陰之熱黄芩治手太陰之熱六經同治表裡並主乃治溫病表裡俱熱之劑以治太陽一經在表之症可乎世人不知此義以治有惡風寒之症變爲太病此吾之所以無取于節菴也○新安徐氏曰其黄芩生地爲裡熱之藥羌活細辛亦爲解表之藥亦和平表裡之輕劑耳然非正傷寒之主藥也陶謂其可代麻黄桂枝青龍三方之用噫

亦逆矣但用之於傷風見寒傷寒見風頭身疼痛惡寒發熱而兼有裡症者宜用之大抵終是輕劑若果當發汗必用麻黃而羌活防風豈可比也若表虛有汗則用桂枝若有汗而煩必用青龍羌活豈可代也非即病正傷寒而九味羌活用於春秋之時比之麻黃青龍則又穩也知者審諸

人參養胃湯朮苓甘陳半朴菓藿梅堪能醫外感
停痰食寒瘧尤當早服貪

消風散用荊芥參苓艸陳皮蠶芎羌防藿蟬與
厚朴血風瘙痒風上攻

大秦艽湯石二活芎芷苷莘兩地黃歸芍芩苓防
白朮中風養血脉實良

養榮湯芎歸芍生地二陳苓艸烏藥菖星芃羌防
黃連穀麥冬遠志脉弱嘗

愈風參术芎歸芍陳半茯苓甘艸資羌活防風

木枳殼中風調理尤相宜

川芎茶調散薄荷芷艸羌防細辛和荊芥同煎或

茶下風寒頭痛用者多

羌活湯中君蒼术苓芍歸苓併木香陳半香附止

甘艸痛風加減為主方

通氣防風湯羌獨君藁本蔓荊芎艸分鬱加升柴

熱蒼檗太陽肩背痛堪均

胃風湯中參與芎歸苓术芍桂等相將粟米百粒

止便血腹痛還宜刺木香

○攻裡劑

重

埜氏曰下劑之重者大承氣三乙承氣是也下劑之輕者小承調承大柴三化是也

六乙順氣湯　君大黃枳朴芒硝何其強柴芩芎艸

亦和入裡熱實滿陽毒狂

防風通聖散　君硝黃二石麻黃芩芎堅芍歸艸桔

梔翹朮荊芥表裡熱實盪

凉膈散　連翹山梔仁大黃甘艸朴硝芩竹葉薄荷

加蜜者煮諸般積熱効如神

芍藥湯方君大黃芩連甘艸木檳榔肉桂及佐痢

病用裡急後重實熱凉

○宣湧劑　缺

埜氏曰吐劑之重者瓜蒂瞋眩碧霞丹是也吐劑之輕者梔豉稀涎是也

〇張氏曰凡病在胸膈中脘已上者皆宜吐之凡用法先宜少服不涌漸加之仍以鷄羽撩之不出以虀投之不吐再投且投且探無不吐者吐至瞑眩慎勿驚疑但飲冰水新水立解強者可一吐而安弱者作三次吐之吐之次日有轉甚者引之未盡也俟數日再吐之然凡病勢已危老弱氣衰者自吐不止者陽敗血虛者諸失血症者慎不可吐〇瓜蒂吐者以麝香湯解之藜蘆吐者以葱白湯解之石藥吐者以甘艸貫衆解之諸艸木吐者以麝香解之

丹溪先生曰凡藥能升動其氣者皆能吐如防風山梔川芎桔梗芽茶以生薑汁少許醋少許入虀汁搗服以鵞翎勾引之如附子尖桔梗蘆人參蘆瓜蒂藜蘆此皆自吐之法不用手探吐時先以布搭膊勒腰腹於不通風處行此〇吐法取逆流水〇益元散吐濕痰〇自湯入壜方可吐〇人參蘆煎湯吐虛病

程氏充曰案三法中惟涌劑爲難用有輕重卷舒之機汗下則一定法也故丹溪先生特註吐爲詳者恐人不深造其理反有害耳

○和解劑

楚氏曰案和劑無輕重惟有清溫小柴胡乃清和也溫膽湯乃溫和也凡寒熱之病皆可和之屬以陽故也

清脾飲內有柴胡半夏芩菓朮苓咀厚朴青皮艸薑棗瘧疾熱多寒少需

七味清脾湯厚朴多青皮半夏良薑和艸果烏楳與甘艸食瘧虫瘧尤可嘉

常山七寶飲青皮朴檳烏楳艸果茹蒼朮甘艸并鱉甲薑酒桃膠截瘧宜

柴胡芎歸湯治夜瘧桔梗參芍朮葛苓厚朴陳皮紅花艸烏楳薑棗水煎停

雲林芩連湯木檳榔枳殼芩連與升麻當歸水煎

爲清劑虛弱初痢尤可賖

當歸調血飲芩連芍藥桃仁升麻充下痢稍久

調和劑氣分多白血多紅白朮和中湯歸芍芩

芩連陳艸木香功

溫膽湯方半夏茯苓竹茹枳實炙甘艸陳皮薑棗用

水煎虛煩不眠寒痰掃

○溫寒劑

埜氏曰溫劑之重者附子理中四逆是也溫

劑之輕者理中建中參茰是也

回陽救急湯即四逆加上桂朮苓陳皮半夏五味

輕　重　輕

薑棗煮眞陰中寒尤爲奇
五積散芎芷陳皮朴梗艸苓殼蒼歸芍半夏桂薑
與麻黃治內外中寒重著生料前方去乾薑
葱煎服發散博
三五七散山茱萸薑附細辛防茯咀每服二錢溫
酒下風寒入腦致陽虛
薑桂湯良薑陳皮朴木香香附艸枳梹吳萸縮砂
薑一片感寒腹痛功效速

○正氣劑

埜氏曰正氣劑者不換金太無神朮升麻葛根
敗毒二香之類皆正時令行山澤水土之

惡氣者也

藿香正氣散半夏麴大腹陳皮桔朴咀艸茯朮苓

薑棗入氣行吐利最堪圖

○涼暑劑

埜氏曰暑劑者香薷十味香薷是解暑者也

生脉益元是凉暑者也

六和湯半夏藿砂仁杏仁參艸木瓜匀香薷扁豆

朴赤茯中暑腹痛吐瀉頻

清暑益氣湯艸參芪麥冬五味青陳皮澤瀉升麻

蒼白朮神麯葛檗與當歸

輕

○滲溼劑

埜氏曰滲劑之重者十棗神祐是也滲劑之輕者五苓豬苓是也

滲溼湯中先蒼朮白朮茯苓澤豬苓香附陳皮與厚朴砂仁芎艸能流停

局方滲溼湯白朮先丁香蒼朮茯苓兼甘艸陳皮有等分乾薑加上溼寒痊

除風溼羌活湯方蒼朮防風藁本詳加上升芘二味火一身盡痛溼風望

清熱滲溼湯黃蘗皮黃連茯苓澤瀉隨蒼朮白朮與甘艸溼熱相棲尤相宜

重 輕

五淋散治五般淋歸芍梔甘赤茯苓每用空心煎
水服何憂氣血石膏淋
八正散車前與瞿麥扁蓄滑石山梔仁大黃木通
入甘艸熱淋熱疝効如神
當歸拈痛湯主四苓羌防升葛芩蒼朮苦參參艸
茵陳知瀉熱脚氣功効疾
獨活寄生湯參茯苓芎歸芍藥熟地并桂心杜仲
秦艽艸牛膝防風細辛成

○潤燥劑

埜氏曰潤劑有二潤肺炙甘艸湯也潤腸麻
仁丸也

生血潤膚飲兩地黃歸芪二門五味量瓜蔞桃紅
升麻入表燥皮枯爲主方

活血潤燥生津飲兩地兩門主當歸五味瓜蔞麻
仁艸花粉十味裏燥希

潤腸湯大黃歸尾生熟地黃甘艸均麻子桃紅升
麻入通幽去大黃麻仁

清燥湯參芪二朮歸苓連蘗地黃生豬澤麥門五
味子艸麯升柴痿痢平

○寒火劑

埜氏曰寒劑之重者白虎解毒是也寒劑之
輕者黃芩湯瀉白散是也

重

竹葉石膏湯用参門冬半夏更加臨甘艸生薑兼
用米虚煩自利熱家尋
七味芍藥湯瀉脾火甘艸山梔與黃連石羔連翹
薄苛葉口燥煩渴尤平痊
柴胡淸肝散瀉肝火黃芩梔連歸芍芎牡丹升麻
與甘艸風熱怒火總能功

輕

淸心蓮子飲黃芩甘艸車前赤茯苓麥門地骨参
芪使下虚上盛作諸淋
當歸六黃湯芩連生熟地黃蘗綿芪降火補陰止
盜汗水煎一服上床時
淸肺湯桔杏芩貝母陳皮桑歸五味梔麥門苓艸
水煎服肺熱咳嗽尤相宜

參朮調中湯芪草陳桑白麥冬青皮眞地骨五味

與白茯瀉熱補氣喘嗽佛

清空膏內有柴胡羌防川芎與甘草酒炒芩連調

茶湯熱壅頭痛效尤早

秦艽鱉甲湯青蒿葉地骨柴胡各酌量知母當歸

烏梅肉骨蒸勞熱最神方

○

補虛劑

楚氏曰補劑之重者參附八味鹿茸大補也

補劑之輕者四君四物六味益氣也

補中益氣湯橘升麻甘草柴胡蒼朮加黃芪木香

參八味飽胃不調兼濕邪

雙和散方芍歸桂參芪甘草熟地黃薑棗煎來補
氣血心力雙勞爲主方
香砂養胃湯參苓术甘草木香厚朴加蒼术陳皮
白豆蔻棗薑煎熟健坤家
參苓白术散薏苡仁甘草蓮肉山藥停桔梗扁豆
砂仁用棗煎虛熱用之靈
歸脾湯方龍眼肉酸棗遠志參芪术茯神木香歸
草薑憂思過度眞宜服
人參養榮湯草术歸苓芍陳皮桂心芪五味地黃
葱薑棗血虛發熱有汗宜
大防風湯君四物參芪术附羌活備牛膝杜仲草
薑入鶴膝痿痺氣血虛

○消食劑

楚氏曰消劑之重者枳實大黃湯備急丹是
也消劑之輕者平胃枳朮是也

香砂平胃散陳皮朴蒼朮藿香枳實調甘艸木香
薑棗入食傷輕者用宜消

葛花解酲湯縮砂仁木香白蔻茯青陳參薑朮澤
猪神麯酒過嘔吐煩亂神

順氣和中湯梔香附陳半木苓枳黃連神麯砂仁
艸薑煮嘔吐噎膈酸嘈痊

○順氣劑

埜氏曰順劑之重者木香檳榔丸蘇合香丸
是也順劑之輕者正氣天香湯是也

七氣湯中半夏厚朴桂苓芍紫蘇剉橘參薑棗同
煎服七情挾痰始難過

分心氣飲木通桂赤芍半茯桑腹皮青陳蘇羌與
甘草七氣鬱滯脹悶羸

三和散用沉木香芎朮紫蘇大腹羌檳橘木瓜甘
草薑水煎和秘氣自通暢

木香流氣飲即藿正去桔加檳菓木通青皮香附
丁桂莪木瓜參菖麥門冬薑棗煎來療氣腫痛
痺痞脇皆氣衝

木香調氣散砂仁桂甘草菝根枳梡宜烏藥青皮

蒼朮入川芎厚朴與陳皮

烏藥順氣散　陳皮薑枳桔殭蠶芎芷詳甘艸麻黃

桔梗入中風先服最為良

匀氣散　參朮甘艸輩烏藥天麻沉木瓜青皮白芷

蘓薑用中風不遂口喎斜加上半苓羌陳木風

溼腰腿心脾疼　順風匀氣散白朮四兩天麻人參各一兩沉香白芷青皮甘艸紫蘓木瓜各半兩烏藥三兩薑三片水煎服中風中氣半身不遂口眼喎斜先宜服此或風溼腰腿疼痛亦宜○十五味匀氣散白朮半夏甘艸茯苓各三兩沉香人參陳皮青皮烏藥白芷各二兩天麻木香羌活紫蘓木瓜各一兩薑水煎服治心脾疼

八味順氣散　參朮苓白芷青皮并陳皮烏藥甘艸

水煎服中風踈氣尤相宜　人參白朮茯苓白芷青皮陳皮烏藥各二錢甘艸一錢水煎服○醫林徐用誠云四君子補胃中氣藥也更用白芷去手陽明經風烏藥

通腎胃間氣陳皮理肺氣青皮泄肝氣若果風在手陽明一經而肝腎肺胃之氣實者可用但人身經有十二皆能中邪此方安能盡其變乎又況真氣先虛之人亦難用此也

人參順氣散 芎朮艸麻黃桔芷與葛根陳朴乾薑荷葉棗風虛冷麻正語言

○活血劑

埜氏曰活劑之重者桃仁承氣抵當是也活劑之輕者犀角地黃是也

當歸活血湯 川芎芍烏藥青皮枳梗望肉桂桃紅甘艸入牡丹香附炒乾薑

疎經活血湯 艸歸芍生地蒼苓橘芷芎防已桃仁龍膽入羌活牛膝威靈風

○豁痰劑

埜氏曰豁劑之重者三生飲控涎滾痰神祐十棗是也豁劑之輕者二陳調中導痰是也

重

省風湯南星生川烏艸木半夏防風扶白附全蝎
薑十片中風痰壅尤能驅

輕

瓜蔞枳實湯桔梔艸陳皮茯苓縮砂薑當歸貝母
與木香燥痰在胸咯不出

半夏白朮天麻湯參芪苓蒼陳皮堅神麯麥芽澤
瀉人黃蘗乾薑痰厥良

清暈化痰湯陳半夏南星苓艸與川芎黃芩白芷
并羌活枳實細辛及防風

氣

○散鬱劑

六鬱湯　陳皮半夏芎茯苓蒼朮砂仁充山梔香附與甘草薑煎加減在心中

○降上劑

楚氏曰降劑有三降火者人中白散也降氣者朱砂安神也降血者酒大黃也

蘓子降氣湯半夏甘草前胡肉桂咀當歸厚朴陳皮等薑棗同煎痰喘舒

祕傳降氣湯　柯子菓柴桑陳半桔殼蘓骨碎地骨五加草上盛下虛尤堪需

血火

木香順氣湯青陳皮蒼澤歸萸艸半苓升柴艸蔻

薑朴能消䐜脹濁氣生

四物安神湯君四物生地參朮艸茯神酸棗梔連

麥門梅棗辰砂怔悸心汗鎮

滋陰降火湯古方稀生熟地黃芍藥知甘艸陳皮

并白朮天麥門冬與當歸

○升陷劑

埜氏曰升劑惟一升陽是也陰氣血火則不

宜升而常宜於降者也

升陽益胃湯參朮芪黃連陳半苓艸集澤瀉二活

芍防柴脾胃不調兼風溼

升陽順氣湯參芪艸陳歸升柴半夏製艸蔻神麯
黄連薑脾胃虚陷兼食滯
升陽散火湯升麻葛根柴胡防風加炙艸人參羌
獨活生甘芍藥總堪誇
升陽除溼湯蒼朮白朮防風芍藥望乾葛茯苓甘
艸入生薑三片水煎嘗

○收滑劑

九仙散內桑桔梗人參欵花五味依貝母烏梅罌
粟殼阿膠欵嗽擊脩歸
人參清肺飲烏梅桑皮地骨膠杏培梗艸知母罌
粟殼欵嗽肺虚收斂求

眞人養藏湯粟殼參訶子芍歸肉蔻眞桂朮木香

乾薑入泄痢滑脫收斂神

桑螵蛸散主參歸遠志龍骨石菖陽茯神鱉甲爲

末服腎衰遺泄溺濁良

○軟堅劑

潰堅湯方歸朮朴陳半枳楂香附儲木香砂仁任

加減積聚癥瘕癖塊除

大七氣湯稜莪眞橘藿梗桂益智仁苷青香附煎

白水一切氣積自舒伸

○殺蟲劑

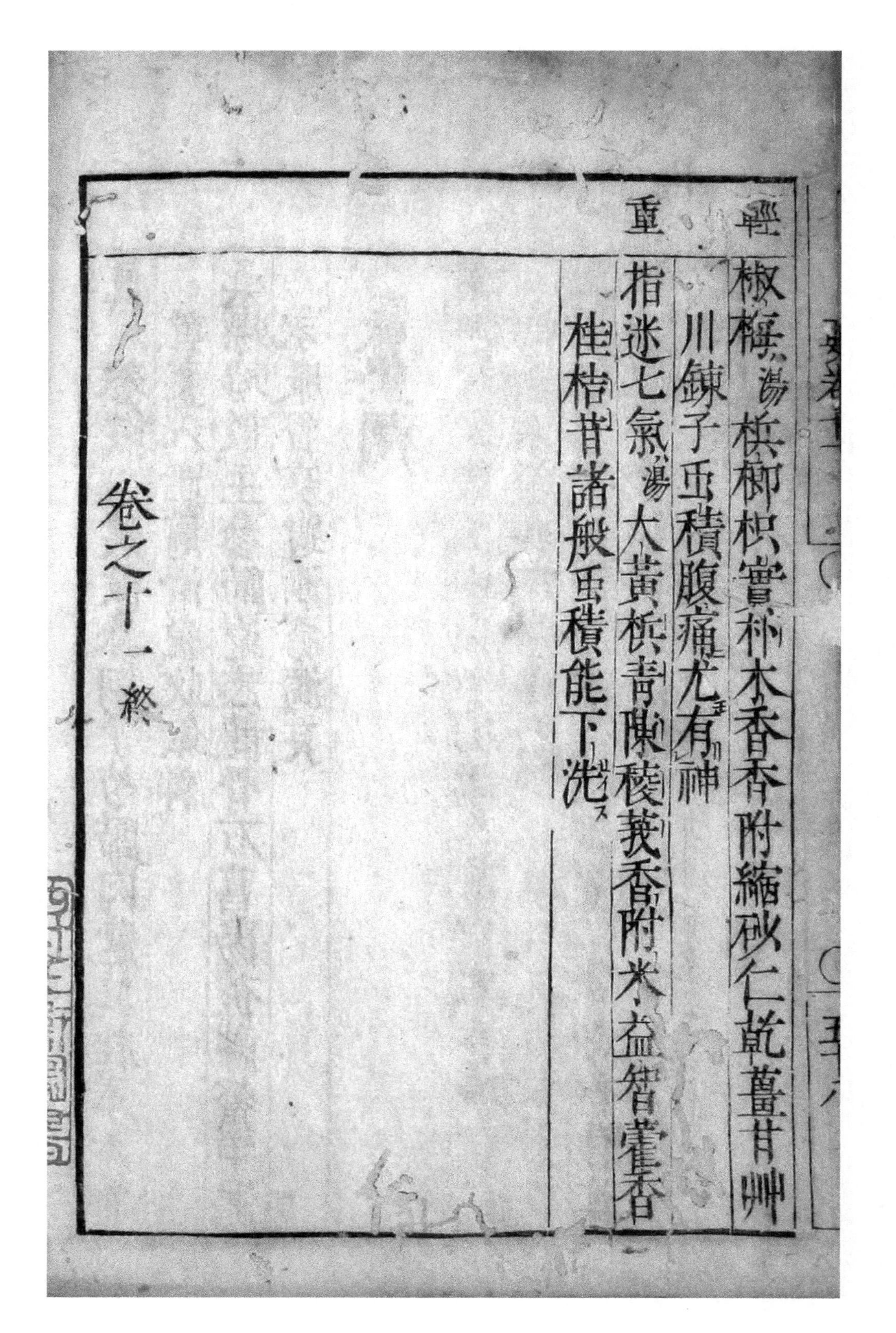

輕　椒梅湯檳榔枳實朴木香香附縮砂仁乾薑甘草

川楝子虫積腹痛尤有神

重　指迷七氣湯大黃檳青陳稜莪香附米益智藿香

桂桔甘諸般虫積能下泄

卷之十一終

字書品目　定栄堂

大坂心斎橋南壹丁目　吉文字屋市兵衛

早引正字通　大本増補　真字引　全

真字畫引ニテ字ヲ見ルニ甚早シ是ニヨツテ早引ト題ス早キ字ノ引ヤウ委ク右ノ本ヲ見テ知ベシ奥ニイロハ引四躰千字文其外文字ノ要用ヲ集メノス

唐詩選
七才子詩集
絶句解
字引　上ノ三書之熟字ヲ副シ文字ヲ正シ誤ヲ改ム

四聲字林集韻大全　全

小補韻會　全四十冊

大廣益會玉篇頭書　毛利貞斎撰　十二冊

初學指南抄　毛利貞斎選　学文ノタヨリニナルコヲアツム

巻懐韻鏡　折本懐中本

無[illegible]海[illegible]閣[illegible]ク廣ク見ル時ハ文字ノ音[illegible]ル[illegible]ナリ

廣益三重韻　小本全二冊　并薄用摺合本

唐音附改正増補此廣益大ニ他ノ三重韻ニマサレリ

増益伊呂波韻　文字訂正熟字入　全

四季分平仄附袖中節用集　懐中小本

文字ヲ正シ假名遣ヲ改和哥連俳ニ用ル字ハ春夏秋冬ノ季附ヲシスベテ一字毎ニ平仄ツケ万事ニ通達ノ節用ナリ

急用間合即座引　節用捷徑　懐中小本

字ヲ御引被成候ニ至極早ク御座候其訣ケハ是迄有來候節用ニハ弘法孝行明[illegible]入候故何ニ有候ヤ分カタク尋候ニ隙入申[illegible]ニハ加様ノ字ニギラハシカラズ即坐ニシレ申候其外字ノ早ク引ケ候様委ク本ノ口ニ記置候御覧之上御求可被下候

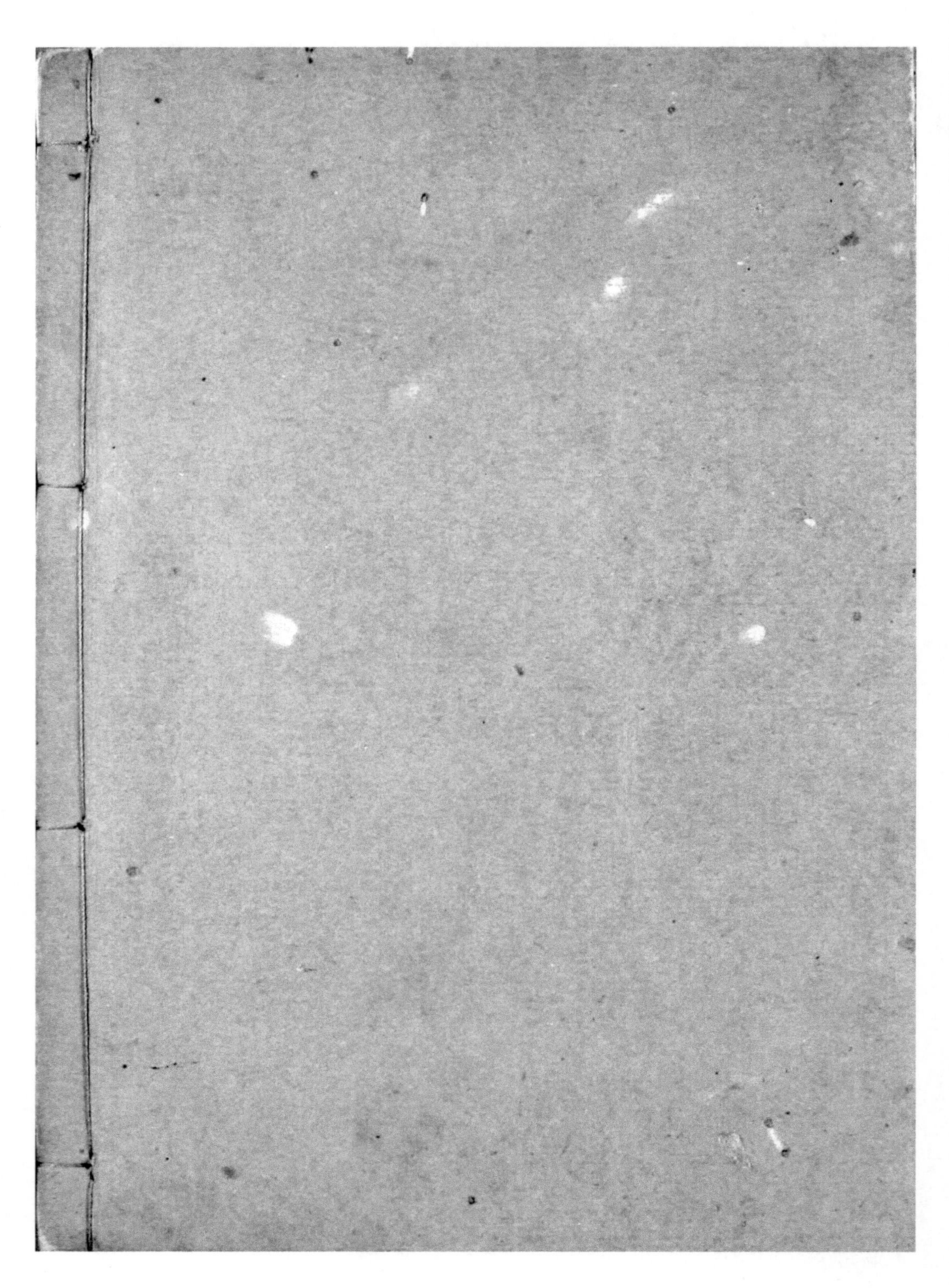

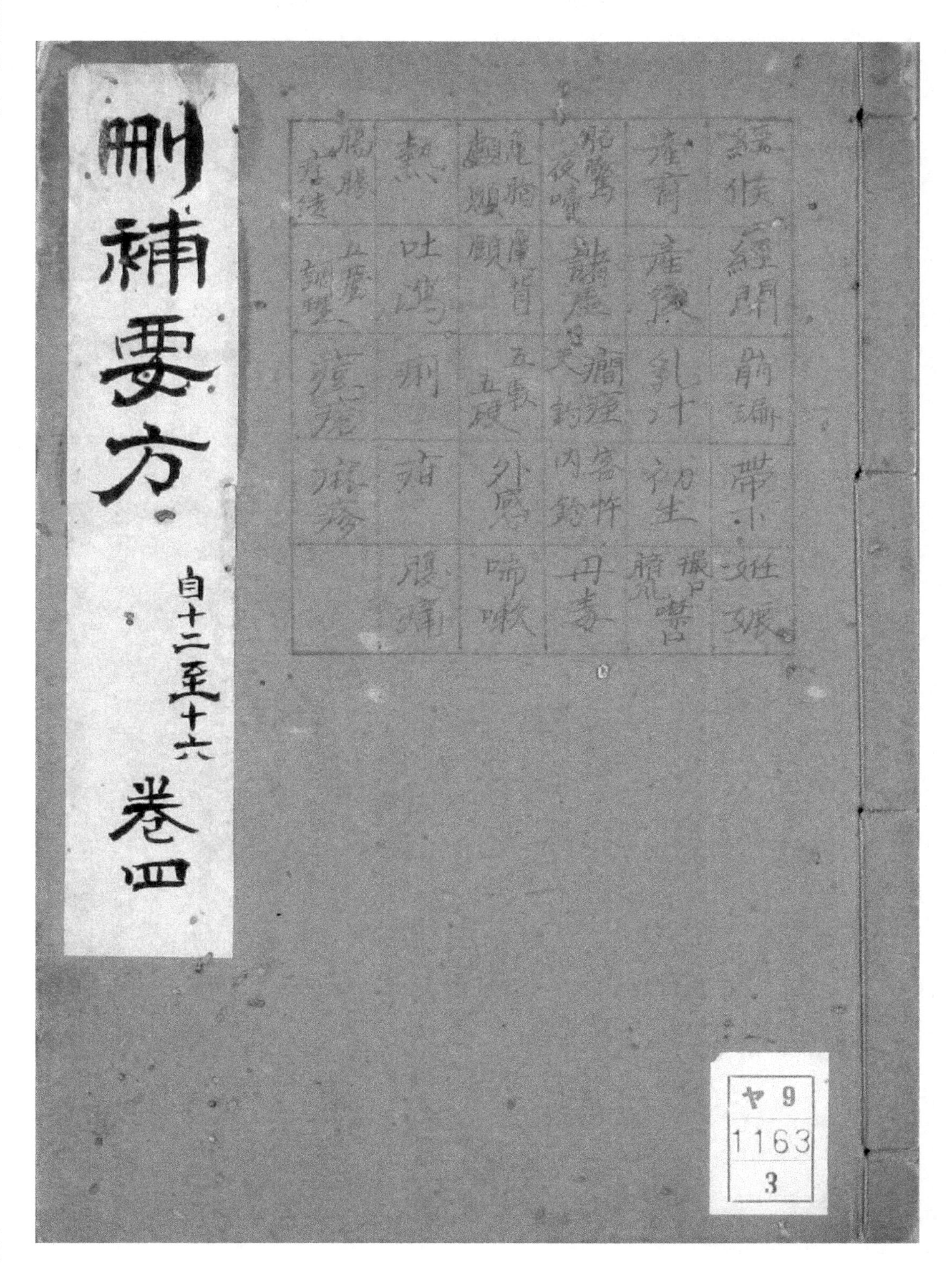
刪補要方
自十二至十六
巻四
ヤ9
1163
3

李嶠百詠詩　日月風雲土地山[illegible]宮[illegible]金銀珠玉ヨリスベテ[illegible]賤木竹草花生類ニ至ル迄[illegible]詠物[illegible]

白圭遺　唐詩選訓解等給　李于鱗　全

東郊文集　徂徠先生閲　詩文　尺牘　○則序跋徂徠草書　全五冊

[illegible]南郭先生閲　長門瀧弥八ノ詩　全

蘆[illegible]稿　南郭先生閲　詩文尺牘　全

[illegible]居翁詩集　伊藤長胤閲　全二冊

唐詩聯[illegible]　唐五言七言對聯ヲ集ム　全二冊

文[illegible]啓　桐江先生著○五經及左傳之語ヲ悉ク[illegible]　スベテ國字分ニ出所ヲアラハス

梅花百詠　全

蘭齋遺稿　鳥山氏輯　全五冊

蘭齋一日百首詩稿　全

陳騤文則　徂來先生校　全　六經老莊孟荀ノ書ヲ考文ヲ作ルノ法ヲ著ス其時諸儒下筆語天下妙也雖與日月爭光可也賛セシ程ノコトニテ此書ヲ諭ハ能文作ル人トナルベシ

詩法掌韻　詩作便要ノ書　全五冊

詩　文　書　[illegible]

卷之十二

婦科上

調經

謙亭　編

經水不調若四物

局方　四物湯　治衝任虛損月水不調臍腹疞痛崩中漏下血瘕塊硬發歇疼痛妊娠宿冷將理失宜胎動不安血下不止及產後乘虛風寒內搏惡露不下結生瘕聚少腹堅痛時作寒熱

熟地　白芍藥　當歸　川芎　等

右每三錢水一盞半煎八分熱服

痛加茯神肉桂名六合湯○下[illegible]不止下
胎加阿膠艾葉乾薑艸芪名膠艾[illegible]
搏口乾煩渴加瓜蔞麥冬○煩熱小便澀短
秘加大黃桃仁○脇脹加朴枳○虛煩不得眠
加人參竹葉○大渴煩燥加知母石膏○治血
虛心腹疞痛去地黃加乾薑名四神湯○王氏
醫林曰失血過多變生諸症者悉宜四物湯加
香附子等分又加生薑五片煎服○月水不行
發熱加瘀加柴胡二錢黃芩一錢○風眩運加
秦艽羌活名治風六合湯○加厚朴陳皮名治
氣六合湯○筋骨痛及頭疼脉弦加防風羌活
名治風六合湯○臍下虛冷腹痛及腰脊間

月六合治

四兩羌活

一兩若血

心腹肋下

治気六合香

防風各

気上衝

宜

四物湯

檳榔各

春閒悶

六合小

物湯各

水前服若婦人筋骨肢節痛及頭痛脉弦增寒如瘧宜治

加玄胡索川練子炒○血氣上冲心腹肋脇

滿悶加木香檳榔亦名治氣六合湯○月事頻

併臍下多痛倍加芍藥○產後虛勞日久而脉

浮弦宜柴胡四物湯即本方合小柴胡湯○血

積加三稜莪朮肉桂牛膝○赤白帶下加香附

肉桂名香桂六合湯

南豐李氏曰自芍緩中破血腹痛非此不除

心經之藥也夏月倍用之當歸潤中和血刺

痛如乃者非此不除腎經藥也冬倍用之地

黃滋陰生血臍痛非此不除肺經藥也秋月

倍用之男加此川芎淸陽和血行血頭

非此不除府經藥也春倍用之女人亦倍○

徐氏曰四物湯雖治婦人衆病惟血病者附

之若兼脾胃虛弱者亦難用之何則芎

能生發之氣生地甘滯絶濕

月虛益加損弱血脉不行而經愈矣

脾胃虛甚單用四君子湯以健脾脾健則健方

可合二方爲八物服無不偏惧昔張設道用

兩黄芩白
圣水沂少
葵花煎若
軟[illegible]滿斤
[illegible]四兩
实半[illegible]芎
黄芩一兩
黄連如[illegible]
若圣水[illegible]
[illegible]達台一
[illegible]色和耆
也[illegible]當歸
來適斷或
抵若先服
以去[illegible]
米[illegible]和之
積者四物
茂三稜桂
一兩若婦人
後飲食減

术各
宜四
虛[illegible]
厚朴
厚朴
圣水
若腹
月不
[illegible]豆
兩若
四[illegible]
[illegible]圣
有往
小柴
熱後
若婦
痛內
寒乾
傷寒
少血

一兩若
[illegible]內加
氣[illegible]欬
合四
內枳
一下加
暴者加
痛黄芩
去者加
汁水少
湯倍
水適
來寒
[illegible]湯
[illegible]四
人血
加廣
[illegible]各
汗下
虛者

四物湯治婦人百病加吳茱萸煎服[illegible]善[illegible]
四物者若得茱萸則芍藥地黄之寒滯不能
害脾胃也○又曰當歸養血爲君熟[illegible]爲
芍藥[illegible]陰爲佐川芎行血爲臣導[illegible]此平
方之本吉固爲血之奴劑○又曰四物淡爲
治血之經劑而不能治氣虛而不生血者苦
脾胃虛而血不生當從仲景之補以人參氣
分之藥陽旺則生陰血也此以四物血藥[illegible]
性側之川芎血中氣藥也適肝經性味辛芎
能行血滯於氣也地黄血中血藥也通腎經
性味有寒能生眞陰之虛也當歸味辛甘血
中之主藥隨佐使而各治其血分之病也如
佐以川芎能行血滯於氣佐以地黄能生陰
分之血佐以芍藥能使脾陰生血和腹痛芍
藥陰分藥也性味酸寒通脾經調益脉治腹
痛若四物者獨主血分受傷以氣不虛而用
之輔佐之類如行血污血須桃仁紅花蘇木
牡丹醇酒之屬如止血治崩須百艸霜棕櫚
灰阿膠地榆茅根黒墨之屬如和血止痛[illegible]
乳香没藥五靈脂凌霄花之屬補血養血須
人參枸杞子肉蓯蓉牛膝益母艸敗龜板之
屬如血燥須蜂蜜阿膠之屬如涼血黄芩黄
連生地黄之類如血寒須附子乾薑肉桂鹿
茸之屬此血藥之大法也○薛氏[illegible]四物湯

宜八物、四分湯四物黄芪甘草白术茯苓各一兩若雖服傷寒中風表虛自汗頭痛……脉浮而弱大陽乏病宜表虚六物湯四物湯四両桂枝……

皮各七戔
頭痛身熱
緊太陽丞
六物湯四
麻黄細辛
傷寒
氣肢節煩
頭痛宜
太陽標
湯西両防
若姓
如錦文
合湯四物
尭升麻冬
脉
宜紫胡六
四物……両
柴胡黄芩

各七戔　物湯　宜……
中风　脉　風湿　病也……
愈温　宜升　湯四　七戔
先期　後期　合湯　來少　各七戔

四実　両　若　湿之　而　合　四物　各　寒下　毒発　麻六　両連　若姓

若脾經血燥發熱或月經不調宜[illegible]之若
因脾經虚熱肝經怒火所致宜四君子湯佐
加味逍遙散若因脾經氣虚血弱晡熱内熱
宜八珍湯加柴胡牡丹皮若因元氣下陥而
致諸症宜補中益氣湯○薹溪吳氏曰月事
不調者宜以此方主之隨其寒熱虚實而斟
酌加減之使月事調匀則陰陽和而萬物生
有子之道也是方也當歸芍藥地黄皆味厚
之品也味厚為陰中之陰故能益血析而論
之當歸辛温能活血芍藥酸寒能斂血熱地
甘濡能補血又曰當歸入心脾芍藥入肝熱
地入腎乃川芎者徹上徹下而行血中之氣
者也或問四物亦有不宜者乎余曰有之氣
息幾微者不宜川芎恐其辛香益散眞氣也
大便溏泄不宜當歸恐其濡滑益增下注也
脉遲腹痛不宜芍藥恐其酸寒益增中冷也
胸膈痞塞不宜地黄恐其粘膩益
增泥滯也明者解之昧者誤矣

先期血熱加芩連隨後期血弱倍歸芍火加桃紅……
俱後多痰二陳湯合和服稠重者再加南星枳實
來少血虚宜本劑芎芍加澤蘭葉甘草點滴欲閉潮煩脉數去……内寒血……

澀。火入紅花、葵花、桃仁、牡丹皮。

小多內熱、痰盛、加芩、朮、肥人多痰、二陳湯、重則再星、枳實。

痛、火多、加蘗皮、湯、已上四物湯加減之例。

或後或前、多火亂、調經散、劑最宜常。

○調經散　治經水或前或後、或多或少、或逾月不至、或一月再至。丹溪先生方

當歸一錢半　麥門冬二錢　吳茱萸　肉桂各五分

人參　半夏　芍藥　川芎

牡丹皮各一錢　阿膠　甘艸各七分半

薑水煎服

○簡易當歸散　經候不勻、或三四月不行、或一月再至、或天癸已過期、經脉不調者、主之

若姙娠傷寒、身熱太渴、蒸蒸而煩、脉長而大者、宜石膏六合湯

川芎　當歸　白芍　黃芩

白朮各半兩　山茱萸一兩半

爲末每服空心溫酒調二錢日三服

血虛氣盛嬪常病爲制調氣養血湯

回春〇調氣養血湯　婦人諸病者多是氣盛而血虛

也主之

香附子　烏藥　砂仁　當歸

川芎　芍藥　熟地黃各一錢

甘草三分

薑棗水煎服或丸或散皆可〇氣痛加吳茱萸

〇痰盛合二陳湯

淋瀝不斷因於瘀者桃仁散失笑散兩方良

桃仁散 產寶方 治月水不調或淋瀝不斷斷後復來狀如瀉水腹堅痛身沉重欲眠多思酸物

桃仁 甘艸 半夏各三分 赤芍

生地各一錢 澤蘭 牛膝 當歸

桂心 牡丹皮 人參 蒲黃

川芎各七分

畫水煎空心溫服

數頻 月事來者 四物湯倍芪芍

熱入血室小柴胡湯量 王氏元戎曰經水適來適斷或往來寒熱宜先服小柴胡湯去寒熱後以四物湯和之

解毒四物治因熱伏龍肝散挾寒望

若血入口舌門 解毒四物湯 治經脉不任或如豆汁五分

加括蔞麥門冬若腹中刺痛惡物不下加當歸芍藥若血崩者加

雜面色痿黃臍腹刺痛寒熱往來崩漏不止

即解毒湯合四物湯

局方 ○伏龍肝散 治氣血勞傷衝任脉虛經血非時忽然崩下或如豆汁或成血片或五色相雜或赤白相兼臍腹冷痛經久未止令人黃瘦口乾飲食減少四支無力虛煩驚悸

伏龍肝　赤石脂各一兩　肉桂

甘草各半兩　地黃　熟艾各二兩　乾薑

當歸各七錢半　川芎三兩　麥門冬一兩半

每四錢水一盞半棗三枚煎七分食前溫服

虛寒用大溫經湯虛熱止經壽世方

要畧 ○溫經湯 主帶下暮發熱少腹裡急腹滿手掌

生地黃蒲黃々芩若頭昏項強者加柴胡黃芩若因挑生爪若加川芎

煩熱脣口乾燥又主婦人少腹寒久不受胎兼
取崩中去血或月水來過多及至期不來

吳茱萸三兩　當歸　川芎
芍藥　人參　桂枝　阿膠
生薑　牡丹皮　甘艸各二兩　半夏半升
麥門冬一升

水煎溫服

楚氏曰帶下血虛血滯也暮熱乃屬血虛腹急乃屬血滯其掌熱脣燥此陰血虛而陽氣無收也故用芎歸補其血桂丹順其滯麥門半夏去煩熱止口渴然人參甘艸阿膠芍藥收其陽氣而配乎陰血吳茱萸長其陽氣而生陰血此治帶下暮熱腹急掌熱脣燥之證也又曰久不受胎者因其少腹寒吳茱萸生薑所以溫之崩中去血血大虛參艸芎歸膠芍所以補之月水過多或因熱或因溼半夏麥冬所以涼之燥之至期不來必為血滯牡丹

胆湯四物各半両羌活防風各三錢草龍胆防巳各二錢水煎 以下四物湯者皆四両

芎桂所以行之古人之立方隨症轉變無測用者思之

虛熱世壽○止經湯　治經水不時淋瀝或成片或下黑水

面色青黃虛暈眼花

當歸一錢三分　白朮八分　芍藥　川芎

熟地黃　香附子　阿膠　黃芩

蒲黃　栁柏葉　砂仁各七分　甘艸

生薑水煎空心熱服○咳嗽加五味子杏仁○

肚痛加玄胡索乾漆○氣急加半夏紫蘇子

名候色紫爲風芩四物湯荊防白芷不加宜黑暗爲熱

芩連入炎白芍虛合參芪去香附甘艸塵色溼痰加二陳

茯苓甘艸有如豆汁芩連隨氣停成塊覃成片色變下

加入莪根陳皮枳桔梗玄胡索音

婦全○海藏四物芩連湯　治經水如黑豆汁

四物湯四兩　黄芩　黄連各一兩

爲末醋糊爲丸服

潮熱無汗

潮熱血虚無汗者茯苓補心作煎湯

三因○茯苓補心湯　治心虚寒病苦悸恐不樂心腹痛難以言心寒恍惚喜悲愁恚怒衄血面黄煩悶五心熱渴獨語不覺咽喉痛舌本強冷汗出善忘恐走及治婦人懷妊惡阻吐嘔眩暈四肢怠墮全不納食

茯苓　人參　前胡　半夏

川芎各七錢半　陳皮　枳殻　紫蘇

桔梗　甘草　乾薑各半兩　當歸一兩半

有汗

芍藥二兩　熟地黃一兩半

薑棗水煎服○薛氏方無乾薑此方專補心元之虛抑其肺氣調和榮衛滋養血脉治婦人心氣虛耗不能制乎肺金氣得乘肝木肝既虧損則血不能藏漸致精血枯涸月事不調

中山氏曰參苓甘艸補氣和衞歸芎芍地補血和榮乾葛前胡解表除熱木香枳桔陳皮所以和利表裏之氣也榮衛調和而表裏順利則心和能生血肝能藏血肺能出氣腎能納氣虛勞平復斯病本從心氣虛耗心血不足始故以補心名之

血虛有汗或潮熱爲用逍遙乃妙方

局方○逍遙散　治血虛勞倦五心煩熱肢體疼痛頭目昏眩心忪頰赤口燥咽乾發熱盜汗減食嗜臥及血熱相搏月水不調臍腹脹痛寒熱如

又治室女血弱陰虛榮衛不和痰嗽潮熱肌膚羸瘦漸成骨蒸

甘艸半兩 芍藥 當歸 茯苓

白朮 茈胡各一兩

每二錢水一盞煨薑一塊薄荷少許煎七分熱服

醫鑒

滋陰至寶湯 雲林製 治婦人諸虛百損五勞七傷經脉不調肢體羸瘦此藥專調經水滋血脉補虛勞扶元氣健脾胃養心肺潤咽喉清頭目定心悸安神魂退潮熱除骨蒸止喘嗽化痰涎收盜汗止泄瀉開鬱氣利胸膈療腹痛解煩渴散寒熱袪體疼大有奇效不可盡述

當歸一錢　白芍酒炒八分　白茯八分　白朮一錢

陳皮八分　知母八分最能瀉虛中之火生用　貝母八分

香附八分　柴胡酒炒三分　薄荷三分　地骨皮八分

甘草三分　麥門冬八分

煨薑三片水煎溫服

中山氏曰歸朮芍苓柴草逍遙散也可以補肝脾血虛加知母地骨皮大解發熱勞熱陳皮貝母可以除痰治嗽麥門薄荷可以潤肺化痰香附所以開鬱調經也龔氏之說雖太過補血抑熱化痰開鬱則諸症可愈亦非虛誕者乎

濟世○十全大補湯　治胃氣虛弱吐衄便血不止以致外症惡寒發熱自汗盜汗食少體倦或煩熱作渴頭疼眩暈而似中風或氣血俱虛胸腹脇痛或骨節作痛經候不調或寒熱往來發熱

熱或五心發熱咽乾舌燥或痰嗽喘促胸膈虛痞或嘔吐泄瀉手足冷熱等症

腹痛

腹痛經前後血滯四物木檳索楝堅氣滯烏藥東垣劑客寒溫經湯太劑良

氣滯 血瘀

元戎○四物湯加玄胡檳榔苦楝木香　主經欲行臍腹絞痛

秘藏○烏藥湯　治婦人血海疼痛

當歸　甘草　木香各五錢　烏藥一兩

香附二兩

水煎服

入門○玄胡索散　治氣血走作疼痛及月水不調面色痿黃飲食減少產後諸疾

玄胡索　莪蒁　當歸　三稜

各等分爲末每二錢空心酒調服如氣血發甚月水不調童便紅花煎酒調服

婦全○本事琥珀散　治婦人月經壅滯每發心腹臍疞痛不可忍及治産後惡露不快血上搶心迷悶不省氣欲絶者

三稜　莪茂　赤芍　劉寄奴

牡丹皮　熟地　官桂　蒲黃

甘菊花　當歸各一兩

右前五味用烏豆一升生薑半斤切片米醋四升同煮豆爛爲度焙乾入後五味同爲末每服二錢溫酒調下空心食前服一方不用菊花用

烏藥玄胡索亦佳○予家之秘方也若是尋常血氣痛只一服產後血衝心二服便下常服尤佳予前後救人急切不少此藥亦宜多合以救人

經後血虛宜八物湯溫經湯歷歲血寒量

寡居

寡居獨女見寒熱柴胡抑肝可早當

醫鑒○柴胡抑肝湯　治寡居獨陰寒熱類瘧等症

柴胡二錢半　芍藥　牡丹皮各一錢半

青皮二錢　連翹　生地黃各五分

地骨皮　香附　蒼朮　山梔各一錢

川芎七分　甘艸三分　神麯八分

水煎服

補遺方

醫統○八珍益母丸　專治氣血兩虛脾胃並弱飲食少思四支無力月經違期或先期而至或腰疼腹脹緩而不至或愆期不收或斷或續或赤白帶下身作寒熱服之罔不効蓋益母調經爲君佐以八珍滋補氣血也　春甫製

益母艸四兩不見鐵器止用上半截帶葉者　八物湯料

爲末蜂蜜爲丸彈子大空心蜜湯下一丸如不能嚼者丸以細粒如小豆大每服七八十丸○脾胃虛寒者加砂仁一兩薑汁炒○腹中脹悶者加山查一兩○祇常多食者加香附子一兩

婦人足瘡經年不愈名裙風瘡用男子頭垢桐油調作隔紙膏貼之　簡便方

經閉

外感　經閉外感寒致凝滯去麻五積散加藤紅花桃仁

熱入血室　往來寒熱經行閉熱入血室小柴胡湯加生地黄煑

氣滯　氣滯投分心氣飲去羌半桑青加芎歸香附莪茂玄胡索○有火者更加黄芩

血滯　當歸血滯腹疼撓

局方○紅花當歸散　主瘀血經行不行腹痛攻刺

赤芍九兩　當歸尾　牛膝　甘草

陵苕花　紅花　莪茂各二兩　肉桂

白芷各一兩半　寄奴五兩

爲末每三錢熱酒調下若血久不行濃煎紅花酒調下有孕不可服○良方有蘓木無莪○埜

血寒

氏曰甚者加大黃桃仁紅花玄胡索

準繩○養血通經湯　治經閉不通發熱咳嗽

當歸　川芎　芍藥　生地黃

香附子各一兩　牡丹皮三錢

柴胡六錢　黃芩　黃蘗各六錢　知母

牛膝各八錢　桃仁　紅花　二味量加

不思飲食加白朮陳皮有塊加三稜莪茂

要略○抵當湯　婦人經水不利下主之

血寒本事通經丸劑

本事○通經丸　治婦人室女月經不通或成血瘕疼

痛

桂心　青皮　大黃　川椒

莪茂　乾薑　川烏　乾漆

當歸　桃仁各等分

爲末醋丸梧子大每服二十丸淡醋湯或溫酒

下

中山氏曰桂心大黃乾漆桃仁皆破血塊之品也青皮川椒莪茂能順積滯之氣乾薑川烏大溫熱可以散痼冷當歸辛苦溫可以和血補榮也

婦全○加味建中湯　治血海受寒小腹作痛

桂心半兩　白芍一兩　炙甘草二錢半

吳萸　當歸　玄胡索　牡丹皮各五錢

每服五錢加薑棗水煎食前服

血熱

血熱高方滋血高

局方○滋血湯　治血熱經行不通致麻木肌熱生瘡

馬鞭艸　荆芥各四兩　牡丹皮一兩

枳殼　赤芍　官桂　當歸

川芎各二兩

每四錢烏棗一箇水二盞煎一盞食前服

痃積四物調經治痃積

回春○四物調經湯　治經脉不行生寒熱腹中結塊衝動痛者此悞食生冷傷感而致也

當歸　川芎　芍藥　柴胡

黃芩　枳殼各八分　熟地　陳皮

莪朮　三稜　白朮　白芷

茴香　玄胡索各五分　青皮

砂仁　紅花　甘艸各四分　香附子一錢二分

薑棗水煎服○遍身疼痛加羌活獨活○咳嗽加杏仁五味子○肚痛加炒乾漆七分○瘧疾加常山艸果○瀉去枳殼加肉豆蔻

氣虛　補中益氣氣虛勞

入門○補中益氣湯加川芎生地黃天花粉○主內傷飲食勞倦損傷脾胃氣弱體倦發熱腹痛腸鳴飲食減少而不生血者

溼痰　溼痰鬱在血海地經閉者導痰湯芎連加入

胃熱　胃熱消渴善食漸瘦津液燥者芣硝大黃甘艸湯合四物湯豪名玉燭散輕者小柴胡湯合四物湯去半參加天花粉

血虛　血弱無潮宜四物湯加桃仁紅花有潮口燥逍遙散加黃芩憂

血枯　血枯烏鰂藘茹妙血脫全大補號

良方○烏賊魚骨丸　主血枯肢體消瘦飲食到口則聞腥臊口出淸液每食少許腹中作脹與八物湯兼服方論出内經素問

烏賊魚骨四兩　藘茹一兩

爲末以雀卵丸小豆大每五丸至十丸鮑魚煎湯下以飯壓之

王啟玄註云烏賊魚骨主血閉藘茹主散惡血雀卵主血痿鮑魚主瘀血

血脫門○十全大補湯　主墮胎及多產育傷血或誤服汗下尅伐之藥以致血衰氣乏不行者

崩漏

崩漏膠艾爲主劑

要畧○芎歸膠艾湯　婦人有漏下者有半産後因續下血都不絶者有妊娠下血者主之

川芎　阿膠　甘艸各二兩　熟艾

當歸各三兩　芍藥四兩　熟地黄

水酒煎服一方加乾薑一兩胡氏治婦人胞動無乾薑○和劑方曰治勞傷血氣衝任虛損月水過多淋瀝漏下連日不斷臍腹疼痛及妊娠將攝失宜胎動不安或因傷胞絡漏血腰痛或因損動胎上搶心奔衝及因産乳衝妊氣虛不

能約制經血淋瀝不斷延引日漸羸瘦。秘藏方加丁香去甘艸名丁香膠艾湯治崩漏不止臍下如氷白帶白滑之物多間如屋漏水下時有鮮血右尺脉時微洪者蓋心氣不足勞役及飲食不節所得

犯房　溫經湯　經候來時因犯房經血大虛暴下宜大補氣血

虛寒　虛寒主伏龍肝散　婁氏曰寒甚加附子

虛熱　虛熱投凉血地黃　或生地黃芩連湯可

秘藏○凉血地黃湯　治血崩腎水陰虛不能鎮守包絡相火故血走而崩也

黃芩　荆芥　蔓荆子各一分

黃蘗　知母　藁本　細辛

川芎各二分　黃連　羌活　茈胡
升麻　防風各二分　生地黃　當歸各五分
甘艸一錢　紅花少許
水煎空心熱服

勞倦

益胃升陽提下陷木香順氣七情鬱

○益胃升陽湯　血脫益氣古聖人法也先補胃氣以助生發之氣陽生陰長之理也
柴胡　升麻各五分　甘艸　當歸
陳皮各一錢　人參　神麯各一錢半　黃芪二錢
白朮三錢　黃芩少許
腹痛加芍藥

產寶○木香順氣散　理胃氣順三焦

烏藥　木香　香附子　薑黄
砂仁　甘艸
薑棗水煎服

溼熱
芩連蘗梔合四物湯名解毒四物湯　治溼熱

殺血
殺血心疼失笑散當

外感風
外感風冷投五積散去麻黄入醋煎服

寒
寒冷附子加入伏龍肝散末服方

暑
益元散加百艸霜治因暑

溼
溼氣升陽除溼湯

秘藏○升陽除溼湯　治漏下惡血月事不調或暴崩不止多下水漿之物皆由飲食勞倦致心火乘脾其人必怠惰嗜臥四支不收困倦乏力氣短

上氣當除溼去熱益風氣上伸以勝其溼又云火鬱則發之

當歸　獨活各五分　蔓荊子七分

防風　炙甘　升麻　藁本各一錢

柴胡　羌活　蒼朮　黃芪各一錢半

水煎熱服

論曰此藥乃從權之法用風勝溼爲胃下陷而氣迫於下所以救其血之暴崩也併血惡之物後必須參芪之類數服以補之於補氣升陽湯中加以和血之劑便是也若經血惡物下之不絕尤宜救其根源治其本經只益脾胃退心火之亢乃治其根蒂也若遇夏月白帶下脫漏不止宜用此湯一服立止

收斂

收澀劑　十灰散方見內科血症　宜有熱宿寒冷症烏金良

局方○烏金散　治暴下不止及帶下宿冷數墮胎

敗棕皮　烏梅　乾薑
三味並燒存性各等分為末每二錢煎烏梅湯
下
婦全○羅氏備金散　治婦人血崩不止
香附子四兩　當歸一兩二錢　五靈脂一兩
空心酒調服五錢立效

調理

調理四物炒乾薑入血止後用此調之○心神不安者加遠志茯神酸棗仁
脾胃氣虛益氣湯當

問曰婦人年五十所病下利數十日不止暮即發熱少腹裏急腹滿手掌煩熱脣口乾燥何也師曰此病屬帶下何以故曾經半產瘀血在少腹不去何以知之其証脣口乾燥故知之當以溫經湯主之　吳茱萸三兩　當歸　芎藭　芍藥　人參　桂枝　阿膠　牡丹皮　生姜　甘草各二兩　半夏半升　麥門冬一升　右十二味以水一斗煮取三升分溫三服　亦主婦人少腹寒久不受胎兼治崩中去血或月水來過多及至期不來　右金匱方

風寒

帶下

帶下因風投去麻五積散或入胃風湯

因寒附桂四物湯來升陽燥溼治因溼

入門○附桂湯　治大寒白帶腥臭多悲不樂

附子三錢　桂一錢　黃耆一錢半　人參七分

黃蘗　知母　升麻　甘草各五分

○四物加桂附湯　主腹痛陰冷者

婦全○當歸附子湯　治臍下冷痛赤白帶下

柴胡七分　良薑　乾薑　附子各一錢

升麻　蝎梢各五分　炙甘草六分

當歸二錢　黃蘗二分　炒黃鹽三分

每服五錢水煎服爲丸亦可○右炒黃鹽例東垣回陽丹註云必用炒黃鹽無則不效蓋寒疝之要藥也

溼

秘藏○升陽燥溼湯　治白帶下陰戶中痛空心而急痛身黃皮緩身重如山陰中如冰

黃芩　陳皮各五分　防風　良薑
乾薑　郁李仁　甘艸各一錢　柴胡一錢三分
白葵花七朶

水煎熱服

痰

痰氣二陳二朮升柴甚者加南星枳實鎚

丹溪先生曰漏與帶俱是胃中痰積流下滲入膀胱宜升提甚者上必用吐

火盛

芩檗樗皮凉火盛七情側柏樗皮開

入門○芩檗樗皮丸　治瘦人帶下多熱

黄芩　黄檗　磆石　川芎

海石　青黛　當歸　芍藥

樗白皮

各等分醋糊丸服

七情

○側柏樗皮丸丹溪心法方　治白帶因七情所傷

而脉數者

樗白皮二兩　側柏葉酒蒸　黄檗

黄連各五　香附子　白朮　芍藥各一兩

白芷燒存性三錢

爲末粥丸米飲下

珠砂琥珀治處女苓朮樗皮主有胎

室女

○琥珀珠砂丸　治室女帶下

琥珀　木香　没藥各四錢　乳香一錢

當歸四錢　麝香　珠砂各二分半

孕婦

○苓朮樗皮丸　治孕婦帶下　丹溪心法方

黃芩　白朮各三錢　樗白皮　芍藥

山茱萸各二錢半　白芷　黃連各二錢

黃蘗一錢半

為末酒糊丸溫酒下

虛

氣弱四君單益氣血虛四物八珍裁有火加蘗皮有寒加桂附

升提益胃升陽劑收斂烏金散與十灰散

醫統

○人參黃芪湯　治婦人氣血俱虛久患白帶瘦

弱無力腰腿酸身熱面黃飲食無味小便淋澁服此全效

當歸　茯苓各一錢　白朮　芍藥

地骨皮　人參　川芎各七分　黃芪

炙甘艸　熟地各五分

右水二盞棗三枚煎八分臨服和匀鹿角霜末五匙服

附白淫

白淫　平補鎭心療白淫思想無窮所願不得意淫於外入房太甚發爲白淫白崩主之

因思慮傷脾四七湯下白龍丸子或歸脾湯臨

沉香降氣湯舒痞悶者少食

金鎖正元丹交腎心

局方 平補鎮心丹 治心氣不足神情恍惚怔悸
傷血火睡臥不安夢寐遺精時有白濁

地黃　生地　天門　麥門
柏子仁　茯神　山藥各七兩　桔梗
辰砂各三兩研為衣　遠志七兩　石菖十六兩
龍骨一兩

為末蜜丸梧子大每三十丸米飲下

師曰婦人得平脈陰脈小弱其人渴不能食無寒熱名妊娠桂支湯主之於法六十日當有此症設有医治逆者却一月加吐下者則絕之

婦人宿有癥病經斷未及三月而得漏下不止胎動在臍上者為癥瘕害妊娠六月動者前三月經水利時胎下血者後三月不血也所以血不止者其癥不去故也當下其癥桂支茯苓丸主之

桂支　茯苓　牡丹　芍藥各等分　右五味末之煉蜜和丸如兔屎大每日食前服一丸不知加至三丸　右金匱要略方

卷之十三

婦科下

婦人胎動
姙娠因夫所動困絶以竹瀝飲一升立愈　產寶

姙娠

驗胎　驗胎經閉看微動

醫鑑○驗胎散　經脈不行已經三月者川芎爲末每服一錢空心艾葉煎湯調下覺腹內微動則有胎也如服後一日不動非胎必是經滯○婁氏綱目加當歸七分

養血　八珍虛婦養其胎

入門○八珍湯　上衝任不充氣血不足榮養其胎

預服補養氣血以防其墜墮

清熱

達生安胎清熱劑

心法○達生散　於八九箇月服十數貼甚得力

大腹皮三錢　人參　紫蘇

陳皮各五分　芍藥　白朮　當歸各一錢

炙甘草二錢

入黃楊腦七箇葱五葉同煎或加砂仁枳殼○春加川芎○夏加黃芩○性急加黃連○有熱加黃芩○食積加山楂○食後易飢倍黃楊腦○氣虛加參朮氣實倍香附陳皮○血虛加歸芐形實倍紫蘇○腹痛加木香肉桂○有痰加半夏○盧氏纂要秋加澤瀉冬加縮砂○胎動加

金銀苧根○氣上加紫蘓地黄

格致論曰予族妹苦於難産視其形肥而勤於針指構思旬日忽自悟曰此正與湖陽公主相反彼奉養之人其氣必實耗其氣使和平故易産今形肥知其氣虚久座知其不運而其氣愈弱當補母之氣則兒健而易産今其有孕至五六箇月遂於大全方紫蘓飲加補氣藥與數十貼因得男而甚快後遂以此方隨母之形色性稟參以時令加減與之無不應者因名其方曰大達生散○[illegible]溪吳氏曰詩云誕彌厥月先生如達朱子曰先生首生也達小羊也羊子易生而無留難故昔醫以此方名之然産難之故多是氣血虚弱榮衛濇滯使然是方也參朮甘艸益其氣當歸芎藥益其血紫蘓腹皮陳皮流其滯氣血不虚不滯則其産也猶之達矣

纂要○安胎飲　治胎氣不安或腹微痛或腰間作疼或飲食不美

白朮　當歸　芍藥　熟地黄各錢

人參　川芎　黄芩　陳皮各五分

甘草　桃仁　紫蘇各三分

薑水煎服○龔氏壽世曰下血不止加炒蒲黄阿膠各一錢○腹痛加醋炒香附枳殼各一錢○婁氏曰風邪加薑豉○寒加葱白○熱加天花粉○寒熱加茈胡○腹痛加芍藥○腹脹加厚朴○下血加艾葉地榆○腰痛加杜仲○驚悸加黄連○煩渴加麥門冬烏梅○思慮過加茯神○痰嘔加旋覆花半夏○勞役加黄芪○氣喘去朮加香附子○便燥加麻仁○素慣難產加枳殼紫蘇○素慣墮胎加杜仲

束胎枳殼瘦胎散

局方○枳殼滑胎散　治胎氣不安能令滑胎易產

甘艸六兩　枳殼二十四兩

爲末空心沸湯點服○萬氏紀要加香附炒黑六兩糯米半斤炒同爲末令兒易產初生胎寒微黑百日後肥白此爲古方之冠若娠婦稍弱者單服恐胎氣腹痛胎弱多驚王隱君于內加當歸一兩木香半兩不見火如此用之則陽不致強陰不致弱二氣調和有益胎嗣又曰束胎之方用各不同如枳殼瘦胎散及用滑石方氣實多痰者宜用之達生散束胎丸氣虛血少有熱者宜用之

蓬溪李氏曰杜壬方載湖陽公主苦難產有方士進瘦胎飲方自五月後一日一服至

月不惟易産仍無胎中惡病也張景古浜機要改以枳朮丸服令胎瘦易生謂之方胎丸而寇氏衍義言胎壯則子有力易生令服枳殼藥反致無力兼子亦氣弱難養所詔縮胎易産者大不然也以理思之寇氏之說爲優或胎前氣盛壅滞者宜用之所謂八九月胎必用枳殼藕梗以順氣胎前無滞則産後無虛也若氣稟弱者即大非所宜矣

心法○束胎丸第八箇月可服

黃芩 炒夏一兩春秋七錢半冬五錢　白朮 二兩不見火

茯苓 七錢半不見火　陳皮 三兩忌火

爲末粥丸○埜氏曰加芎歸名芎歸束胎丸尤宜臨月服之

論曰黃芩白朮乃安胎聖藥俗以黃芩爲寒而不敢用蓋不知胎孕宜清熱涼血血不妄行而乃能養胎黃芩乃上中二焦藥能降火下行白朮能補脾也○薑溪吳氏曰凡患産難者多由內熱灼其胞液以致臨産之際乾澁而難或脾氣怯弱不能運化精微而令胞液

不足亦產難之道也故用白术茯苓益其脾土而培萬物之母用黃芩清其胎熱瀉火而存胞液及陳皮者取其辛利能流動中氣化其肥甘使胎氣不滯兒身勿肥耳此束胎之義也

外感

外傷風氣參蘇飲 去半夏○風熱甚者用雙解散去硝黃麻膏

寒氣理中加味來 依本方加吳茱萸阿膠

傷暑香薷散 古苓术湯合或十味香薷飲

溼傷平胃散 加术苓栽 內熱加黃芩

內傷

內傷七氣紫蘇飲 勞役補中益氣培

房色八珍 湯加芪酒炒爲君防風升麻爲使

食傷平胃 麥蘗山楂黃連開

胎動

胎動芎歸湯爲主

本艸○徐氏佛手散　治婦人妊娠傷動或子死腹

血下疼痛口噤欲死服此探之不損則痛止
損便立下此乃徐玉神驗方也　隨身備急方
當歸二兩　川芎一兩
爲末每三錢水煎入酒溫服或灌之如人行五
里再服不過三五服便效○和劑局方名芎藭
湯治產後去血過多運悶不省及傷胎去血多
崩中去血多金瘡去血多眩運欲倒皆宜之○
婦人良方名芎歸湯又名神妙佛手散

中山氏曰案新產婦以調血爲主血調則諸
症自除當歸川芎俱辛溫所謂春夏發生之
氣以助其資始資生之化源者也氣弱則加
人參挾惡血則加紅花新產婦無氣不弱者
無不挾惡血者故予常用當歸川芎
人參紅花名芎歸調榮湯屢用屢驗

七情

七情氣逆紫蘇飲芬

外感　外邪發熱安胎飲大腹皮柴胡加入勤氣血虛者倍參朮○
虛熱者加黃檗

心腹痛　心腹疼血虛四物湯氣停滯香附枳殼等分爲末空心白湯下
氣虛四君子湯加芎藥當歸因寒茨根縮砂加入理中湯劑
有熱黃芩湯仲景分

腰痛　腰痛紫蘇飲加杜仲續斷因七氣舉重動搖身力下血主芎
歸湯膠艾

入門○膠艾芎歸湯　治胎動下血或必加砂仁
阿膠　艾葉　川芎　當歸各一錢
甘艸二分
水煎服○去甘艸加入參名安胎當歸湯
青娥丸閃剉尤良劑加續斷鹿角尤妙

縮砂仁一味宜

百問○安胎散　治妊娠偶因所觸或從高墜下致胎動不安腹中疼痛服此藥後覺胎動處熱即胎已安

縮砂仁一味炒末每二錢熱酒調下不飲酒者鹽艾湯空心下○萬氏紀要芎歸湯調服太抵妊婦不可缺此常服之則安胎易產古今醫統名獨聖散此一味實妊婦之要也以其有安胎易產導滯之功也

胎漏

胎漏熱者芩連朮益母艸加入四物湯中

血虛來火膠艾湯氣虛四君子湯芩膠入氣血兩虛八物湯加膠艾量

方考○膠艾湯　孕婦漏胎不安者此方主之○漏胎者懷胎而點滴下血也此是陰虛不足以濟火氣虛不足以固血故有此證是方也阿膠熟地當歸川芎益血藥也黃耆甘草艾葉固氣藥也血以養之氣以固之止漏安胎之道畢矣

尿血　又有尿血爲胞熱山梔四物湯加髮灰壁土因暑者益元散升麻汁下稍久虛羸膠艾湯嘗久不止者加龍骨蒲黃

惡阻　惡阻二陳湯加竹茹生薑○瘦人多熱加黃芩黃連痰熱去無陰八物二陳和令加枳殼桔梗氣虛可用竹茹劑

三因○竹茹湯　治妊娠擇食嘔吐頭疼顚倒痰逆四支不和煩悶古今醫統名參橘飲

人參　陳皮　白朮　麥門冬各一兩

甘艸一分 茯苓 厚朴各半兩

薑五片竹茹一塊水煎空心服○豊溪吳氏曰惡阻以聞食而惡責之脾虛嘔吐以食入復吐責之有火所謂諸逆衝上皆屬于火也此是厥陰之血既養其胎少陽之火虛而上逆竹茹能平少火厚朴能下逆氣橘皮生薑所以開胃人參白朮所以益脾開胃益脾欲其安穀云爾

傷食二陳湯入縮砂菰根

子瘧

子瘧清脾飲去半夏用多熱用寒多養胃湯最宜斟去半夏用

傷冷瘧痢醒脾飲久甚截之與勝金丹

入門○醒脾飲子 治子瘧子痢口淡及曾傷風冷

厚朴 艸蔻各五錢 乾薑四分 甘艸一分

薑棗水煎服

子痢　胎痢黄芩湯治屬熱胃風湯劑與虚寒

胎驚　胎驚屬熱安神丸如無熱心虚定志丸

子煩　子煩相火丸知母一味蜜丸酒下君火黄連一味丸匀

竹葉停痰留飲有安神丸尤能定心神

三因竹葉湯　治妊娠苦煩悶者

防風　黄芩　麥門冬各三兩

茯苓四兩　竹葉數片

水煎溫服○南豐李氏曰或有停痰積飲滯於胸鬲之間亦令煩燥胎動不安者宜此○羅田萬氏曰妊婦氣實體壯者此實煩也此湯主之如食少氣弱者此虚煩也麥門冬散主之即云

苓加人參生薑

子懸胸滿紫蘇飲欝甚丁香莪朮隨

良方○紫蘇飲　治子懸腹痛或臨產驚恐氣結連日不下或大小便不利　嚴氏方

當歸　甘艸　大腹皮　人參
川芎　陳皮　炒芍各五分　紫蘇一錢

薑棗水煎服○龔氏醫鑑腹痛加香附木香○咳嗽加枳殼桑白皮○熱加黄芩○嘔吐加砂仁○泄瀉加朮苓○難產加枳殼香附車前子

豐溪吳氏曰胎氣不和湊上心腹腹滿閉悶謂之子懸乃下焦氣實大氣擧胎而上也故用紫蘇腹皮陳皮川芎流其氣當歸芍藥利其血氣流血利而胎自下矣然必用人參甘艸者邪之所湊其氣必虛也流氣之藥推其陳補氣之藥致其新爾

不食加黄芩白术芎歸湯子灸腹中宜

胎水　胎水五皮加白术喘滲不利防已望

水　良方○五皮散　治胎水腫滿

大腹皮　桑白皮　生薑皮　茯苓皮

陳橘皮各一錢　木香二錢

水煎服○李氏入門倍加术爲君

喘　○防已飮　治脾虛遍身浮腫腹脹喘促小便不利

防已三錢　桑白皮　紫蘓　赤芍各五分

木香二分

薑煎服○楚氏曰溼熱盛者加山梔黄檗去木香

脚腫

檳蘓散 脚腫兼外感腰脚腫浮腎著湯

○腎著湯 治妊娠腰脚腫

茯苓 白朮各八分 乾薑 甘艸各一錢

杏仁五分

子癇

子癇風痓羚羊角

○羚羊角散 治妊娠冒悶角弓反張名子癇風

痓

羚羊角 獨活 酸棗仁炒 五加皮

防風 薏苡仁 當歸 川芎

茯神 杏仁各五分 木香 甘艸各二分

薑煎服

四物湯加防風秦艽葛根牡丹細辛葶藶主血虛痰加貝母陳皮茯苓甘艸

四君子湯茯苓加歸身厚朴入生薑韭白煎酒調服投氣弱者
愈風散人事不省儲
子淋
子淋芎歸湯木通入○麥冬人參甘艸燈心臨月加滑石爲君膀胱熱
甚五淋散神因房勞四物湯六君子湯合腎氣丸方
六味眞
便閉
便閉朴芩撓加入四物湯中
尿祕
尿祕葵子茯苓論
三因葵子散治妊娠小便不利身重惡寒起則眩暈及水腫者
葵子五兩 茯苓三兩
爲末每二錢匕米飲調下○萬氏曰娠婦素淡滋味不嗜辛酸病小便赤澁而痛者此胎熱也

加赤芍條芩車前子如小便不通恐是轉胞加髮灰少許極妙

轉胞 六君子湯合四物湯去芩探吐提之 脬轉戾腎氣丸陰虛者最可珍有熱者古芩术湯合益元散服之

丹溪先生曰轉胞病胎婦之稟受弱者憂悶多者性急躁者食味厚者大率有之古方皆用滑利踈導藥鮮有應效因思胞為胎所墮展在一邊胞系了戾不通耳胎若舉起懸在中央胞系得疏水道自行然胎之墜下必有其由一日吳氏寵人患此脈之兩手似濇重取則弦然左手稍和余曰此得之憂患濇為血少氣多弦為有飲血少則胞弱而不能自舉氣多有飲中焦不清而溢則胞之所避而就下故墜遂以四物湯加參术半夏陳皮生甘草生薑空心飲隨以指探喉中吐出藥汁俟少頃氣定又與一貼次早亦然如是與八貼而安後又歷用數人亦效○壹溪吳氏曰胞非轉也由孕婦中氣怯弱不能舉胎胎壓其胞胞繫了戾而小便不通耳故用二陳四物四君三合煎湯而探吐之所以升提其氣

上竅通而下竅自利也○金匱要畧曰婦人病飲食如故煩熱不得臥而反倚息者此名轉胞不得溺也以胞系了戾故致此病但利小便則愈宜腎氣丸主之○劉氏曰腎氣丸以中有茯苓故也地黄為君功在補胞

遺尿

遺尿赤者屬熱古苓朮湯加山茱五味子入加勻

因虛色白君要擇為用安胎飲乃純

子瘖

腹鳴發哭含多年空房下鼠穴中土為末酒下或乾噙之即止

腹內兒啼與黃連煎汁呷之或青黛亦好

自笑哭紅棗燒存性末米飲調服

悲傷藏燥大麥甘艸大棗煎服

黄鳥肉食之不妒　時珍

姙娠呕吐不止干姜人参半夏丸主之　干姜　人参各二两　半夏二两
右三杲末之以生姜汁糊為丸如梧子大飲服十丸日三服
姙娠小便難飲食如故飯毋苦参丸主之〇男子加滑石半两　當
飯貝毋　苦参　右三杲末之煉蜜丸如小豆大飲服三丸加
至十丸　姙娠有水氣身重小便不利洒淅悪寒起即頭眩
葵子茯苓散　葵子一斤　茯苓三两　右二杲杵為散飲服方寸匕日
三服小便利則愈　右金匱要畧方
難産催生　秘録用龜甲枚燒末酒服
婦人難産　真珠末一两酒服立出　千金方
胞衣不下　真珠一两研末苦酒服　千金方
子死腹中　真珠末二两酒服立出　外臺秘要
又方　雞子黄一枚姜汁一合和服當下
令子安産　取鼠燒末井花水服方寸匕日三　子母秘録
催生易産　丁香一戔水研服立下　續千金方
死胎不下　丁香一枚桂心末二戔温酒服即下　本事方
婦人臨産月服之令胎滑易生極有効　用通明乳香一两　枳
殻二两為末煉蜜丸梧子大毎空心酒服三十丸　婦人良方

產育

臨產　臨產恐驚上焦閉下焦脹而不行用紫蘇飲氣虛者達生散

恐驚　實枳甘散即枳殼滑胎散

腹痛　芎歸湯水已破而少痛難痛而不安宜安胎飲或達生散以因胎元腹痛漿未破者止宜八物神應破漿合或藥

三因○神應黑散　治橫生逆生難產

百草霜　白芷

爲末每二錢童便好醋各半以沸湯浸服○陳氏良方名催生如神散大能固血免血乾○李氏入門名古黑神散治破水多則血乾○血虛芎歸湯下○氣弱四君子湯下

壽世○八珍湯加益母艸　治胎衣既破其血已涸元氣困憊

催生　催生凍產投五積散五苓散夏月主熱產氣散血沸入冬葵

三因○催生湯　治產婦陣疎難產經三兩日不生或胎死腹中或產母氣乏產道乾澁纔覺陣痛破水便可投之

蒼术二兩　桔梗一兩　陳皮六錢　白芷

桂心　甘艸各三分　當歸　川烏

乾薑　厚朴　芍藥　半夏

茯苓　附子　南星各二錢　川芎一錢半

枳實四錢　木香一錢　杏仁　阿膠各二錢半

爲末每一錢溫酒下覺熱悶以新汲水調白蜜

下○李氏入門名催生五積散

安胎飲悞用催生峻藥傷母氣血交骨不開亀殼宜

良方○加味芎歸湯　治交骨不開不能生産

依本方加自死亀板一箇酥炙婦人頭髪一

握焼存性水煎服○李氏入門名亀殼散

胎死

胎死拔催生五積散　朴硝平胃散亦良竒大黄備

急丸　便堅閉脉實者宜四物桂香血燥滋

入門○古桂香丸　胎死血乾或有寒者四物湯下此

丸

肉桂一兩　麝香一錢

爲末飯丸菉豆大毎十五丸○婁氏方煖酒服

須臾如手推下比之用水銀等此藥不損血氣

胞衣不下

一方單用桂末一錢，痛時童便下，名救急散。

胤産○芎歸楡白湯　治胎衣不下

川芎　當歸焙，各半兩　楡白皮半兩

每服三錢，生地黄汁同溫酒調下。

胞衣不下牛膝劑

三因○牛膝湯李師聖方　治産兒已出，胞衣不下，臍腹堅滿脹急疼痛，及子死腹中不得出者。

牛膝　瞿麥各四兩　當歸　木通各六兩

冬葵五兩　滑石八兩

每三錢，水兩盞，煎八分，稍熱服。

因寒催生五積追實入奪命丹，宜與八味黑神散救甚危。

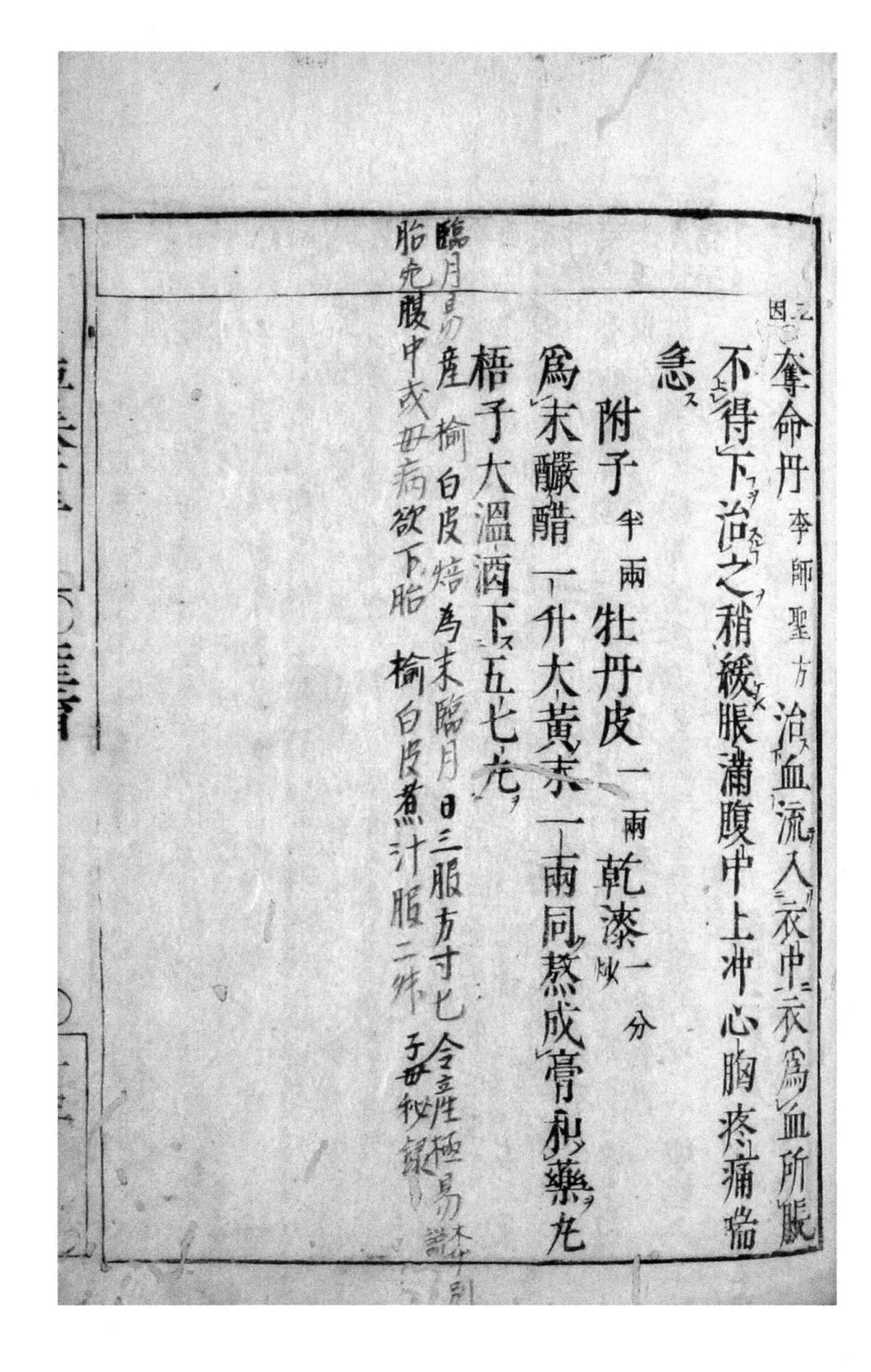

奪命丹李師聖方　治血流入衣中衣爲血所脹不得下治之稍緩脹滿腹中上冲心胸疼痛喘急

附子半兩　牡丹皮一兩　乾漆一分炒

爲末釅醋一升大黄末一兩同熬成膏和藥丸梧子大溫酒下五七丸

臨月易産　楡白皮焙爲末臨月日三服方寸匕令産極易

胎死腹中或母病欲下胎　楡白皮煮汁服二升　子母秘録

問曰新產婦人有三病一者病痓二者病鬱冒三者大便難何
謂也師曰新產血虛多汗出喜中風故令病痓亡血復汗寒多
故令鬱冒亡津液胃燥故大便難產婦鬱冒其脉微弱不能
食大便反堅但頭汗出所以然者血虛而厥厥而必冒冒家
欲解必大汗出以血虛下厥孤陽上出故頭汗出所以產婦
喜汗出者亡陰血虛陽気独盛故當汗出陰陽乃復大便堅
嘔不能食小柴胡湯主之　病解能食七八日更発熱者此
為胃実大承気湯主之　病痓者亦大承気湯詳虛実可用
之　產後腹痛煩滿不得臥枳実芍藥散主之　枳実　芍藥
右二味杵為散服方寸匕日三服　師曰產婦腹痛法當以枳
実芍藥散假令不愈者此為腹中有乾血着臍下宜下瘀
血湯主之亦主經水不利　大黃三兩　桃仁二十枚　蟅虫二十枚熬去足　右三味
末之煉蜜和為四丸以酒一升煎一丸取八合頓服之新血下
如豚肝　產後七八日無太陽症少腹堅痛此惡露不尽大便
煩燥発熱切脉微実再倍発熱日晡時煩燥者不食食則譫
語至夜即愈宜大承気湯主之熱在裏結在膀胱也
產後中風口噤瘈瘲角弓反張黑豆三升半同雞矢白一升炒熟入
清酒一升半浸取一升入竹瀝服取汗　產室
產後血運不知人及狂語　用血竭一兩研末每服二錢溫酒調下
產後血衝心胸喘滿命在須臾　血竭　沒藥各一錢研細童便和酒
調服　以上林集要方

太平聖惠方

抵聖湯 治産後瘀血入
肺咳惡欲吐
澤蘭葉 參 丹 陳 半
右各等分姜三片煎服

産後

産後諸患氣血弱，補虛調血最宜投。

○補虛湯 治産後一切雜病，只太補氣血爲主。

人參 白朮各一錢 當歸 川芎

黃芪 陳皮各五分 甘艸三分

薑煎服。如熱輕者，倍加茯苓滲之；熱甚者，加炒黑乾薑，引藥入肝分生血，又能利肺氣，與補陰藥同意。曾悞服熱藥及熱食者，必加酒芩暫服。

○丹溪心法無黃芪，有茯苓。

醫鑒芎歸調血飲 西園公方 治産後一切諸病，氣血虛損，脾胃怯弱，或惡露不行，或去血過多，或飲

食失節或怒氣相冲以致發熱惡寒自汗口乾心煩喘急心腹疼痛脇肋脹滿頭暈眼花耳鳴口噤不語昏憒等症

川芎　當歸　白朮　茯苓

熟地黄　陳皮　香附　烏藥

乾薑炒黑　益母艸　牡丹皮　甘艸

薑棗煎服○如惡露不行加益母牡丹童便黄酒同服○去血過多倍芎歸乾薑○飲食停滯胸膈飽悶加枳實厚朴山楂砂仁○因氣腦加香附烏藥○口噤昏憒不語加荊芥○兩脇痛加青皮肉桂○小腹陣痛加玄胡桃紅蘓木甚者加三稜莪朮○有汗加黄芪○口乾苦加麥

門冬

眩　冒眩血弱芎歸主因瘀黑神八味朮

血入血虛門　○芎歸湯　去血過多眼花頭眩昏悶煩躁或見頭汗者主之甚者加炒乾薑人參汗多加黃芪

瘀　局方　○黑神散　治產後惡露不盡胞衣不下攻沖心胸頭暈神昏眼黑口噤臍腹堅脹撮疼

黑豆炒半升　甘艸炙　熟地黃　炮乾薑

肉桂　芍藥　當歸　炒蒲黃各四兩

爲末每二錢酒童便各半煎湯調下○陳氏三因李師聖方去蒲加附子下爲胎妙○龔氏壽世加棕灰玄胡索五靈脂香附茯朮紅花沉香治產後一十八症服之如神

血脫

丹溪先生曰黑神散用當歸之溫熱黑豆之甘熟地黃之微寒以補血之虛佐以炒蒲黃之甘以防出血之多芍藥之酸寒有收有散以爲四藥之助官桂之大辛熱以行滯氣推凝血和以甘艸之緩○崑溪吳氏曰蒲黃能逐敗血熟地芎歸能養新血乾薑肉桂能引新血而逐敗血甘艸黑豆能調正氣而逐敗氣蓋諸證皆是瘀血爲患故並治之

血脫成運參獨味氣血兩虛八珍修

濟世○獨參湯　治産後血暈下血過多不省人事者氣血大脫而神不用也兼治一切失血惡寒發熱作渴煩躁或口噤痰鳴自汗盜汗或氣虛脈脫手足逆冷蓋血生于氣故血脫補氣陽生陰長之理也　身熱氣急加童便身寒氣弱加附子外以火醋薰鼻法能收斂神氣

方考○八物湯合二陳湯去芎　氣血俱虛痰火泛上

作暈

挾風

被驚

不語

挾風成暈清魂妙驚氣安神最能瘳

入門○清魂散　火載血上昏暈或挾風邪者　三因　李　師聖方

荊芥四兩　川芎二兩　澤蘭　人參各一兩

甘草八錢

爲末每二錢熱湯溫酒各半調停灌下

○硃砂安神丸　主被驚者

不語七珍除敗血痰熱迷心竅導痰湯搜

三因○七珍散　李師聖方　主產後敗血停畜上干於心

心氣閉澁舌強不能言語者

川芎　人參　石昌　生地各一兩

防風　硃砂各五錢　細辛一錢

爲末每一錢薄苛煎湯下○王氏醫林加片腦名八珍散○地黃戀膈脾胃不快者以當歸代之尤妙

亂語妄言亂語譫調經散瘀血迷心八物尤

○調經散 李師聖方 治因產敗血上干於心不受觸致心煩躁臥起不安如見鬼神言語顛倒

入門○八物湯去芎加琥珀柏子仁遠志硃砂金銀主瘀血迷心妄言妄見及心虛譫妄昏暈者

心腹痛瘀心腹痛疼因瘀血黑神散失笑散最宜焉

局方○失笑散 治產後虛羸痛欲死者

炒蒲黃 五靈脂

各等分爲末先用好醋調二錢熬成膏入水一

虛寒

盞煎七分食前熱服○蓬溪李氏曰失笑散不獨治婦人心痛血痛凡男女老幼一切心腹脇肋少腹痛疝氣秖胎前產後血氣作痛及血崩經溢百藥不効者俱能奏効屢用屢驗眞近世神方也

虛寒巖蜜湯或理中湯劑寒熱當歸可用鬚

三因○大巖蜜湯李師聖方治素有宿寒因產太虛寒搏於血血凝不散上衝心之絡脉故作心痛

桂心　遠志　吳茰　乾薑

獨活　熟地　當歸　芍藥各一錢

甘艸　細辛各三分

每半兩用水三盞煎一盞微熱服○鶴溪陳氏

曰此方本出于金其用生乾地黃耳熟地黃泥血安能去痛又曰以嚴蜜湯治血痛不若失笑散用之有效

寒熱門

○當歸鬚散　方見折傷門

氣

七氣木檳十三味食停五積莪朮俱

○木檳湯　治產後七情感傷血與氣幷心痛

木香　檳榔　玄胡　金鈴子

三稜　莪朮　厚朴　桔梗

川芎　當歸　芍藥　黃芩

甘艸

食滯

○熟料五積散加莪朮　治食滯寒熱心腹痛

兒枕痛

臍疼兒枕靈脂散虛痛温經最可圖

○單五靈脂散　治小腹痛者名兒枕痛○或加桃仁醋糊爲丸氣虛四君子湯下血虛四物湯下

○大溫經湯　治産門臍下虛痛者

寒熱

寒熱陰虛投四物柴胡晝熱損增殊

○四物湯　主陰虛血弱者小熱加茯苓爲君熱甚加炒乾薑爲使○埜氏曰寒熱晝靜夜甚者去芎加柴胡爲主

三因

○增損四物湯 李師聖方　治産後乍寒乍熱此由陰陽不和敗血不散時有刺痛者敗血不散宜奪命丹但寒熱無他症者陰陽不和宜此

當歸　人參　芍藥　川芎

炮乾薑各一兩 甘艸四錢

每四錢水一盞薑三片煎六分熱服

良方 增損柴胡湯 治産後虛弱寒熱如瘧食少腹脹

茈胡 人參 甘艸 半夏

陳皮 川芎 芍藥炒

等分薑棗水煎服

蓐乳氣血虛

參芪白朮天花粉加入四物湯中 治蓐乳發熱

太補湯 蓐勞氣血癯

入門 十全太補湯去芎加續斷牛膝鱉甲桑寄生桃仁爲末猪腎一對去脂膜薑一片棗三枚水二盞煎至一盞入前末二錢葱三寸烏梅半箇荆

芥五穗同水煎空心服　主產後勞役過度虛
羸乍起乍臥飲食不消時有咳嗽頭目昏痛發
渴盜汗寒熱如瘧背膊拘急

湯
煩渴氣虛生脉散　姒血虛四物湯加天花粉麥門冬扶

自汗
當歸補血湯治自汗發熱○汗甚加白朮防風牡蠣麥門冬熟地黃茯苓甘艸
或用黃芪建中區甚者用芪附湯

外感
外感風冷寒熱至血虛穡葛根人參加芎歸湯
補虛湯血氣俱虛主加陳皮乾薑寒熱甚者熟料五積散
遺熱不止者黃龍湯四味理中湯寒氣入陰門宜
寒熱瘧痢三分散久而便閉柴胡破瘀湯斯或四物湯加大黃芒硝

○黃龍湯　治胎前產後傷風寒表症半表裡症

及汗後瘥後勞復餘熱

柴胡　黃芩　人參各二錢　甘艸一錢

水煎服○氣虛合四君子湯○血虛合古芎歸湯○表邪將傳裡幾至動胎者加阿膠白朮黃芩○婁氏曰嘔逆不食心煩加蘆根麥門竹葉○發斑加青黛山梔升麻玄參○發狂加石膏犀角

萬氏曰妊娠傷寒專以清熱安胎爲主或汗或下各宜隨其五藏表裡所見脉症主治勿犯胎氣故在表發汗以香藿散爲主方半表半裡則和解之以黃龍湯爲主方在裡則下之以黃連解毒湯爲主方

此吾家秘之秘活人甚多

○三分散　主體盛發熱惡寒及瘧痢者

即小柴胡湯合四君子四物湯加黃芪

○柴胡破瘀湯 治蓄血症及熱入血室

柴胡 黃芩 半夏 甘草

赤芍 當歸 生地各等分 五靈脂

桃仁各減半

薑煎服如大便閉加大黃一片然非瘀血症不可輕用

蓐風

産後蓐風愈風劑血虛太補十全司

本草○華陀愈風散 治婦人產後中風口噤手足瘛瘲如角弓或產後血運不省人事四支強直或心腹倒築吐瀉欲死

荊芥

焙爲末每三錢豆淋酒調服或童便服之口噤

者灌之○王氏指迷方加當歸等分水煎服

壽世○十全太補湯加炮乾薑　治産婦牙關緊急腰背反張四支抽搐兩目連劄此去血過多元氣虧損所致

丹溪先生曰産後中風切不可作風治必大補氣血爲主然後治痰當分左右氣血而治之

血風丸劑治筋攣五積身疼加減治

筋攣門

○血風丸　治産後諸風痿弱筋攣無力者

秦艽　羌活　防風　白芷

川芎　當歸　生地　芍藥

白术　茯苓　半夏　黄芪

各等分爲末蜜丸梧子大每五十丸空心酒下

或水煎服亦可

身痛　○五積散去麻加入參香附子茴香桃仁木香

主餘血不盡流於遍身腰脚關節作痛者

浮腫　浮腫調經除敗血

三因○調經散　治産後敗血乘虛流經化水致肢體浮腫

芍藥　沒藥　肉桂　琥珀

當歸各一兩　麝香　細辛各半兩

爲末每一錢溫酒入薑汁調服○損菴王氏曰産後面黃四肢浮腫但調經散血行腫消則愈

四君加蒼朮氣虛良血虛苓蒼朮入加補虛湯劑中

氣血兩虛八物量加蒼朮半夏香附陳皮○有熱加黃芩麥冬○氣不順加木香

砂仁○懐胎氣過水道腫者去半夏加紫蘇大腹皮

衄喘　犀角地黄湯治産後氣血散亂入於經以致鼻衄獨參湯竭没

氣喘當

入門○獨參湯　主産後氣喘由榮血暴竭氣無所主

或加蘇木少許救之○若敗血停滯脹脇喘者

用血竭没藥等分為末酒入水調服

嘔吐　嘔吐因敗血乘虚入胃脹滿者六君子湯加生薑赤芍澤蘭脾脉如

弦三白湯○加乾薑陳皮黄芪滑石甘艸三白湯乃朮苓芍是也

泄瀉　五積散熟料主泄瀉因食肉太早瘀滯腹痛甚者加莪朮○嘔吐加縮砂仁○瀉

加薑附人參理中丸加肉蔻臍腹痛因虚寒四君合四苓加黄

連水通治挾熱或用益元散挾溼胃苓湯最可安

便閉　便閉芎歸湯加枳殼防風甘艸○閉澁者麻子仁丸去芍藥

尿秘　尿癃葱白灸臍寬

○小便不通者用鹽塡臍中葱白一束切作一指厚放鹽上以艾炷灸之熱氣入腹即通熱者六乙散加檳榔枳殼木通麻仁冬葵水煎服

五淋　白茅五淋尤良劑

三因○白茅湯　治産前後淋閉

茅根八兩　瞿麥　茯苓各四兩　蒲黃

桃膠　滑石　甘艸各一兩　紫貝燒十箇

冬葵　人參各二兩　石首魚腦骨燒二十箇

薑三片燈心二十莖水煎溫服

惡露　惡露烏金九味完

局方○烏金散　治産後血迷血運敗血不止淋瀝不

斷臍腹疼痛頭目昏眩無力多汗又治崩中下血過多不止

麒麟竭　赤芍　松墨　亂髮灰

百艸霜　玄胡索　肉桂　當歸

鯉魚鱗燒末各等分

爲末每二錢溫酒調下

脬損

脬損　四君猪脬煮

入門○四君子湯加黃芪陳皮桃仁　治生產時被洗母誤損尿脬以致日夜淋瀝者用猪脬煮清汁煎湯服血虛者加芎歸出格致餘論

陰突

陰突　四物加龍骨

○產用力過多陰門突出者四物加龍骨末少許

連進二服外用蓖麻子搗爛貼頂上必收即洗去

腸脫	生腸不斂八珍妙 ○產後生腸不收八物湯加防風升麻須用酒炒芪爲君外用荊藿樗皮煎湯薰洗
子戶不收	子戶下垂益氣湯 ○產後下一物如合鉢狀有二歧者子宮也補中益氣湯去柴胡連進二三劑一覺而收後以四物湯加人參調理

產後血運　蘇木三兩水五升煎取二升分服

產後氣喘　面黑欲死乃血入肺也用蘇木二兩水兩椀煮一椀入人參末一兩服隨時加減神効不可言　胡氏方

產後中風　口噤身直面青牙定反張竹瀝飲二三升即甦　梅師方

乳汁不通

氣虛乳汁不通有兩般氣虛可補用歸芪

方考○當歸補血湯加葱方　產後無乳者主之

當歸二錢　黃芪一兩

葱白十莖水煎服○乳者氣血之所成也故氣血充盛之婦未嘗無乳凡見無乳者皆氣體虛弱之婦也是方也用當歸黃芪大補其氣血此養乳汁之源也葱白辛溫直走陽明陽明達於乳房故用之爲使此通乳汁之渠也

氣實氣停可順湧泉散三味漏蘆最要知

寶鑑○湧泉散

瞿麥　麥門冬　王不留行

龍骨　穿山甲

等分爲末每一錢熱酒下先食猪懸蹄羹後服

此藥服後以梳刮左右乳房

三因○漏蘆散　治乳婦氣脉壅塞乳汁不行及經絡

凝滯乳内脹痛留蓄邪毒或作癰腫

漏蘆二兩半　蛇退十條炙　瓜蔞一十枚急火燒存性

爲末每二錢温酒調下不以時仍喫熱羹湯助

之

小兒初生目閉由胎中受热也以熊胆少許蒸水洗之一日七

八次如三日不開服四物加甘草天花粉

全幼心鑑

卷之十四

兒科上

謙亭編

初生

拭穢

初生拭穢用何藥甘艸黃連蜜與硃

醫林○拭穢法　生下啼聲未出急用綿裹手指蘸生甘艸黃連汁拭口去其惡穢稍定更以蜜少許調朱砂末一字抹入口中鎮心安神解毒一生免瘡疸之患○埜氏曰案入門夏月加黃連餘月不用之或云春秋甘艸一錢黃連二分半夏月黃連三分半冬月黃連一分半常依此分量

胎瘦
胎肥
直訣

胎瘦長生丸可用胎肥浴體法應需

○長生丸　主胎瘦怯面黃白睛多喜哭身肌肉薄大便色白屬肺

梹榔　枳梡各一兩　木香五錢　砂仁
半夏　丁香　肉豆蔻　蝎稍各廿枚

○浴體法　治肥胎併胎怯胎熱

烏蛇肉酒浸焙末　白礬　青黛各三錢
天麻二錢　蝎稍　辰砂各五分　麝香一字

爲末每三錢水三碗帶葉桃枝一握同煎至十數沸溫熱浴之勿浴背

薛氏曰案浴體法乃開發腠理疏泄陽氣者也其胎氣果熱在暑月庶幾可用其或胎怯而用前法恐復傷真氣也

胎寒

胎寒瀉利白薑散

醫林○川白薑散　治産婦胎中受寒令兒腹痛不飲乳

木香　陳皮　檳榔各一分　肉桂

白薑　甘艸各半分

水煎綿蘸與之○嘔加木瓜丁香○南豐李氏日面青肢冷去檳加芎歸○埜氏日加霍香砂仁去檳爲良方○腎縮加呉茱萸

薛氏日若手足冷或腹痛惡寒共用六君炮薑以溫中

胎熱

胎熱便秘面赤連翹飲或五福化毒丹須

不乳

不乳茯苓三味下或煎釀乳劑功殊

醫林○茯苓丸　治拭口不淨穢惡入腹腹滿短氣不

能飲乳

茯苓　黃連　枳梡

各等分末蜜丸梧子大每一丸乳汁調灌下

入門○釀乳法　主生下面赤眼閉二便不通不飲乳

澤瀉五分　生地四分　猪苓　茯苓

天花粉　茵陳　甘艸各二分

水煎令乳母捏去宿乳服之良久乳兒

赤丹如出牛黃主血疸或來生地扶

生赤醫林○牛黃散　治月裡生赤肌膚如丹塗者先用牛黃散托裡次用藍葉散塗外乳母服清凉飲子

鬱金　甘艸　桔梗　天花粉

葛根

各等分爲末菝苛湯入蜜調服

○藍葉散

藍青　知母　甘艸　杏仁

山梔各五分　黄芩　升麻　茈胡

凝水石　石膏　赤芍各四分　羚羊角

右水煎服

血疸

○生地黄湯　治胎黄症生下遍體黄色如金身熱二便不通乳食不進啼不止母因受溫熱或衣被太暖所致

生地黄　赤芍藥　川芎　當歸

天花粉

各等分水煎乳母俱服

小兒重舌　黄栢浸苦竹瀝點之　千金方

撮口噤口臍風

吐痰　撮噤臍風（三症同因裡氣鬱閉）先吐痰蝎稍餅吹鼻方良

治臍風撮口發熱面赤啼聲不出

（正傳）○吹鼻法

蜈蚣一條　瞿麥五分　蝎稍四箇　殭蠶七箇

末吹入鼻內有嚏可治後用薄荷汁調與服之

鎮驚　搐稍定後啼煩躁大溫驚丸劑可嘗

胎熱　胎中受熱流心脾成噤撮瀉黃散劑最奇方

胸熱　胸堂有熱成臍腫龍膽湯涼驚丸小劑量

（入門）○千金龍膽湯（唐孫氏方）治小兒初生臍風撮口

月內胎驚氣逆發熱者

艸龍膽　釣藤　茈胡　黃芩

桔梗　赤芍　茯苓　甘艸各半分

大黃一分　蜣螂一枚

爲末每一錢或五分棗湯調服一方去蜣加人參

參川芎水煎溫服治小兒癖魃病

肝脾熱氣不和

乳母肝脾因有熱兒患者爲立齋加味逍遙散當

肺脾氣不和而病錢氏仲陽用益黃散

小兒驚啼雞矢白燒灰米飲服二字匕　千金方

又方　亂油髮燒研乳汁或酒服少許良　千金方

小兒燕口兩角生瘡　髮灰三錢飲汁服　子母秘錄

胎驚挾痰　挾熱　心熱藏寒　風邪　傷乳氣虛

胎驚夜啼

胎內受驚有夜啼局方保命丹乃堪休
挾痰錢氏抱龍丸寶兼熱瀉青丸七味脩
心熱火燉投導赤散藏寒保命丹益黃散謀
風邪因驚風邪啼受惺惺散加漏蘆入傷乳食消食散瘳
氣弱六神與鈎藤散血虛肝六味丸心秘旨安神丸

三因○六神散
人參　白朮　茯苓　甘草
山藥　白扁豆
薑棗水煎服○胃冷加附子○風證加天麻○
利加罌粟殼○王氏醫林曰治腹痛夜啼面青

口中氣冷四支冷或泄瀉青白及不吮乳〇李氏入門曰挾熱加王連竹茹

心法附〇鈎藤散　治小兒夜啼

茯神　川芎　白茯苓　木香

當歸各一錢　炙甘草半錢　鈎藤一錢

薑棗水煎服〇薛氏曰臍氣不足至夜則陰盛而腹痛者用之

血虛

薛氏〇秘旨安神丸　因心血不足者用之

人參　半夏　酸棗仁　茯神

當歸　陳皮　芍藥　五味子

甘草

氣血兩虛

氣血兩虛乳頭散腎氣虛羸不足六味丸求

腎虚　醫林○乳頭散　治夜啼不止腹痛

黄芪　甘艸　當歸　赤芍

木香

各等分為末塗乳頭與吮

脾腎虚　脾腎虚弱六神散主六君子湯兼嘔最宜投

木火相搏　木火相搏柴胡梔子散妙

口腫　太法驚啼見口喉

入門○有欲飲乳到口便啼身額皆熱者看其口若無瘡必喉舌腫痛宜氷梅丸薄荷煎治之

妙

小兒卒驚似有痛處不知疾狀用雄雞冠血少許滴口中

熱　虛

諸驚

諸驚寒熱風痰食屬熱瀉青與安神丸

直訣瀉青丸　治肝熱急驚搐搦等症

羌活　大黃　川芎　山梔

艸龍膽　當歸　防風各等分

爲末蜜丸芡實大每半丸至一丸淡竹葉湯同砂糖水化下○埜氏曰瀉肝實加茈胡芎藭牡丹皮甘艸尤妙○便通者或去大黃

薛氏曰前症若煩熱作渴飲冷便結者宜肝瀉青丸若發熱飲溫大便不結者宜用柴芍參苓散即芍藥參苓散加當歸牡丹也

虛者溫驚丸可用

入門○溫驚丸　治胎寒腹痛哯乳便青乳食不化

人參五錢　白术一兩　茯苓五錢　山藥二斤

辰砂五錢　赤石脂五錢　乳香

麝香各二錢

爲末蜜丸芡實大每一丸薄荷煎湯化下○加

木香蝎梢桔梗麥冬酸棗薑蠶名大溫驚丸

痰

化痰四味抱龍珍

局方○辰砂化痰丸　治風化痰安神定志利咽膈清

頭目止嗽除煩悶

朱砂　枯礬各五錢　南星一兩　半夏三兩

爲末薑汁煮麪糊丸梧子大辰砂爲衣每十丸

薑湯下亦治小兒風壅痰嗽薑荷煎湯化下

食　風

直訣○抱龍丸　治傷風溫疫驚風潮搐及蠱毒中暑
雄黃二錢半飛　辰砂五錢另研　天竺黃一兩
南星四兩　麝香五錢
爲末甘艸湯丸皂子大每一丸白湯化下○和
劑方曰痰壅嗽甚薑湯下心虛傷琥珀湯下

食傷夾驚宜人參羌活散次與瀉青蝎硃辰
驚
入門○內傷飲食變熱或因食後遇驚身熱溫壯或吐
不思食大便酸臭先用人參羌活散加青皮紫
蘓取表消積次用瀉青丸加全蝎硃砂袪風鎮
驚

風邪夾驚投敗毒散防風通聖乃平均
醫鑑○敗毒散　治急驚風初起發熱手足搐搦上竄

天吊角弓反張

依本方加全蝎天麻薑蠶白附子地骨皮

○防風通聖散　治諸風潮搐急慢驚風大便閉結邪熱暴甚上竄咬牙盜汗睡語轉筋驚悸肌肉蠕動

急驚　急驚吹鼻法　通關散吐法　稀涎散　瓜蔕散加全蝎　良

順氣　順氣劑　蘓合香丸　單至寶丹　截風保命蝎稍　詳

截風　局方○至聖保命丹　治小兒胎驚內吊腹肚堅硬目睛上視手足抽掣角弓反張痰涎壅盛

白附子　麝香　南星　蟬退

白殭蠶　辰砂各一錢　防風　天麻各二錢

全蝎十四箇　金薄十片

為末粳米飯丸乳汁下

入門○蝎梢餅　治臍風撮口驚風掣瘲反張不納食乳四支盡冷牙關緊者用此擦牙尤妙

蜈蚣一条　蝎梢　乳香　白花蛇

硃砂　南星　殭蠶各五錢　麝香三錢

為末酒糊作餅入參或薄荷煎湯磨化一餅

祛痰　橘龍痰熱尚不退錢氏抱龍丸辰砂化痰丸方

定魄　溫膽湯安神丸覃定魄散驚風已退定恐堂

○定魄丸　驚風已退神魂膽志未定者主之

人參　琥珀　茯苓　遠志

辰砂　天麻　石菖　麥冬

酸棗　甘草各等分

爲末蜜丸皂子大辰砂爲衣每一丸燈心薄荷

煎湯下

四君土弱金虛損加當歸服四物湯肝虛火盛堅加鈎藤

六味丸合四君子湯治肝經血燥脾胃虛者六君加木香芍肺

金強來尅木○凡人數服驚藥脾胃虛寒者皆用六君子湯加丁香木香

慢驚

慢驚初病尚陽症全蝎觀音散與醒脾散

醫鑑○醒脾散　治吐瀉不止作慢驚風脾困昏沉默

默不食

人參　白朮　白茯苓　甘草

木香　全蝎　薑蠶　白附子

天麻各等分

薑棗煎服○一方去天麻薑蠶加南星半夏陳

倉米累驗

脾困　五味異功散加當歸芍藥脾困倦為肝木所勝一不應六君木香炮

木邪　薑茋肝來侮土兼有熱芍藥參苓柳肝司

薛氏○芍藥參苓散　治肝木尅脾土目劄面青食少

體倦

芍藥　人參　白茯苓　白朮

陳皮各七分　茈胡　山梔　甘艸各五分

○柳肝散　治肝經虛熱發搐或發熱咬牙或驚

悸寒熱或木乘土而嘔吐痰涎腹膨少食睡臥

不安者

茈胡五分　川芎八分　當歸　白朮

茯苓 釣藤 錢各一 甘艸 五分

水煎子母同服如蜜丸名柳青丸

仲山氏曰小兒屬火陽故病則肝火症多是方也柴胡釣藤能抑肝火川芎當歸能補肝血木乘土則脾胃衰朮苓甘艸所以補助脾氣也

東垣〇黃芪湯

炙黃芪 錢二 人參 一錢 炙甘 五分 白芍 五分

水一大盞煎半盞溫服

論曰脾胃伏火勞役不足之症及服巴豆之類胃虛而成慢驚者用益黃理中之藥必傷人命當於心經之中以甘溫補土之源更於脾土之中以甘寒瀉火以酸涼補金使金旺火衰風木自平矣今立黃芪湯瀉火補金益土爲神治之法

純陰　已是純陰症外無八候但吐瀉不止投朮附湯藥訛豆卷性平

治

入門○加味术附湯　治吐瀉後脾虚變成慢驚身冷髮直吐乳貪睡汗多宜此溫寒燥溼行氣健脾

附子　白术各一兩　肉豆蔻一箇

木香　甘草各五錢

薑棗煎服

醫綱○豆卷散　仲陽先生方　治小兒慢驚多因藥性太溫及熱藥治之有驚未退而別生熱症者

大豆黃卷　管仲　板藍根

炙甘草各一兩

爲末每半錢水煎服

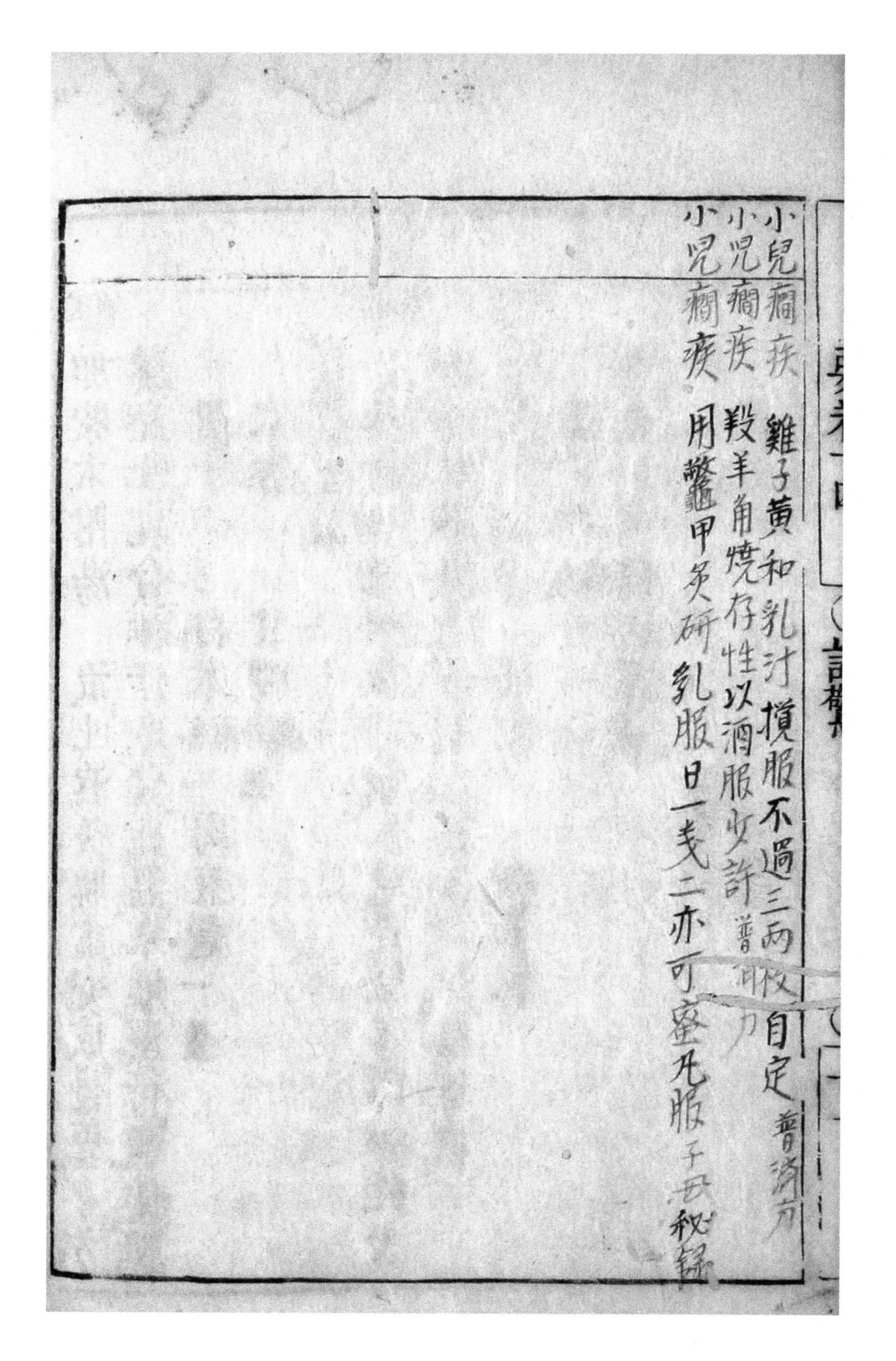

小兒癇疾　雞子黃和乳汁攪服不過三兩枚自定　普濟方

小兒癇疾　羖羊角燒存性以酒服少許　普濟方

小兒癇疾　用鼈甲炙研乳服日一戔二亦可蜜丸服　子母秘録

癇痓客忤天釣內釣

心癇

心癇驚悸鎮心，主肝症抽攣用散風。

○鎮心丸　治心癇面赤目瞪吐舌，心煩驚悸。

遠志　雄黃　鐵粉　琥珀各二分

硃砂一分　麝香五厘

棗肉丸黃豆大，金銀箔廿片為衣，每一丸，麥門冬煎湯化下。

肝癇

○散風丹　治肝癇面青上竄，手足拳抽，掣攣反折。

南星二錢　羌活　獨活　防風

人參　荊芥　川芎　細辛

茈胡各一錢

爲末蜜丸梧子大每二一丸大者三四丸紫蘇煎
湯化下亦治剛痓

妙聖脾癇成自利天聖肺癇吐涎充

脾癇○妙聖丹　治脾癇面黃直視腹滿自利
雄黃　全蝎　辰砂　杏仁各二錢
輕粉　麝香各一字　巴豆二粒
爲末棗肉丸梧子大每一丸杏仁煎湯下

肺癇○天聖丸　治肺癇面白反視驚掣吐沫潮涎
南星　全蝎　蟬退各二錢半　防風
白附子　天麻　薑蠶各一錢半　麝香五分
爲末棗肉丸菉豆大每三丸荊芥生薑煎湯下

腎癇強直麻苧活再復斷癇七味功

腎癎

○腎癎湯　治腎癎面黑胸振目視入口吐涎沫如尸不動

獨活　麻黃　川芎　大黃

甘艸各六分

薑煎服

○斷癎丹　治癎已愈而後復作

黃芪　鈎藤　細辛　甘艸各五分

蟬退二寸　蛇退二寸　牛黃一字

爲末棗肉丸梧子大小兒麻子大每二十丸人參煎湯下

痓

柔痓理中湯或三生飲　麻黃葛根湯　痓剛雄　通用小續命湯

柔痓去麻黃

剛痓去硝黃

客忤　鎮心丸　客忤卒驚與湯氏鈎藤飲五味中

天鈎　天鈎藤飲或保命丹劑痰盛抱龍丸滾痰丸痰熱

融

○湯氏鈎藤散　主心肺熱痰鬱氣滯外感天

風觸動卒然目直身強

人參　犀角各五分　全蝎　天麻各二分

甘草一分

○保命丹　主風熱勝者

內鈎　內鈎腹痛驚啼者為用乳香散劑豐

熱　○乳香散

乳香五分　沒藥　沉香各一錢　全蝎十四箇

檳榔子一錢半

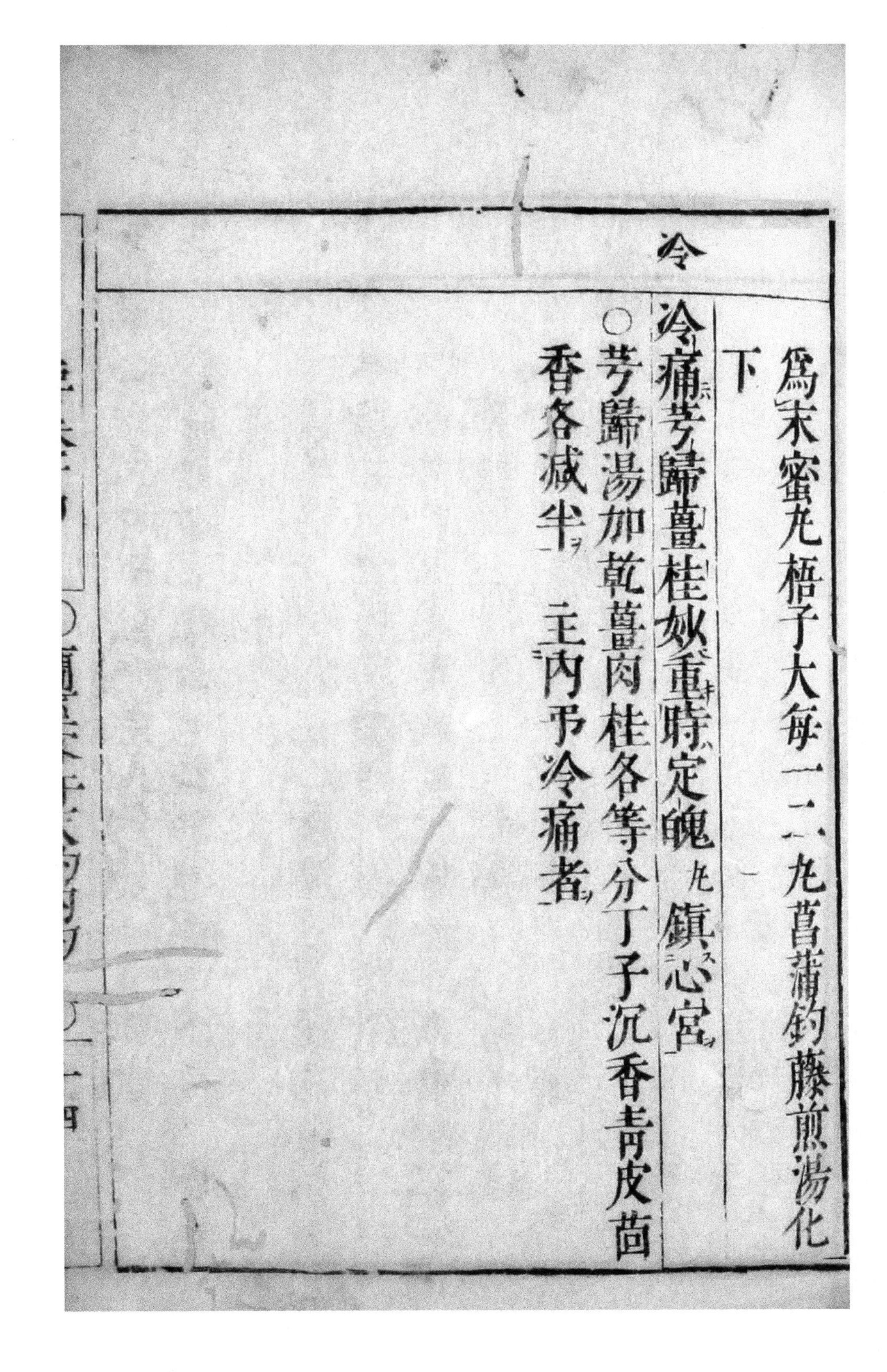

冷

爲末蜜丸梧子大每一二丸菖蒲釣藤煎湯化下

冷痛芎歸薑桂奴重時定魄丸鎭心宮

○芎歸湯加乾薑肉桂各等分丁子沈香靑皮茴香各減半 主內弔冷痛者